LUMIÈRES

PERCEPTION-PROJECTION
1 AOÛT - 2 NOVEMBRE

LES CENT JOURS D'ART CONTEMPORAIN
MONTRÉAL 86

CIAC CENTRE INTERNATIONAL D'ART CONTEMPORAIN DE MONTRÉAL

CATALOGUE

Lise Demers, *directrice de production*

Michel Fortin, *recherche bibliographique*
Marie Fraser, *recherche bibliographique*
Serge Bérard, *traduction*
Robert McGee, *traduction*
Serge Bérard, *révision de textes*
Lise Demers, *révision de textes*

Israël Charney, *conception et réalisation*

Richard Weston, *montage*
Dominique Trudeau, *assistant*
Käthe Roth, *traitement de texte*

Logidec Inc., *typographie*
Photocomp RB Ltée., *typographie*
Opti-couleur Inc., *séparation de couleurs*
Plow & Watters, *impression*

Dépôt légal 3ième trimestre 1986
Bibliothèque nationale du Québec
ISBN 2-920825-01-1

TABLE DES MATIÈRES / CONTENTS

LES CENT JOURS D'ART CONTEMPORAIN DE MONTRÉAL
THE 100 DAYS OF CONTEMPORARY ART OF MONTREAL

LES CENT JOURS D'ART CONTEMPO-RAIN DE MONTRÉAL reviennent pour la deuxième année consécutive. Le Centre international d'art contemporain de Montréal en a fait son événement annuel international dont le but est de témoigner des recherches artistiques les plus actuelles.

En faisant des CENT JOURS D'ART CONTEMPORAIN DE MONTRÉAL un événement annuel, le CIAC veut créer une manifestation importante pour l'art d'aujourd'hui et faire en sorte que cette réalité entre dans la mémoire collective.

En faisant des CENT JOURS un événement international, le CIAC veut identifier des réseaux d'échanges, de collaborations et de recherches similaires entre tous ceux et toutes celles qui façonnent l'image de la culture contemporaine.

En faisant des CENT JOURS une occasion unique de regrouper des oeuvres et des personnes autour d'un thème précis, le CIAC espère ajouter à la compréhension des données et des gestes d'individus qui participent à créer notre environnement visuel et notre réflexion philosophique.

Élaborés autour du thème général de la lumière, les CENT JOURS D'ART CONTEMPORAIN – MONTRÉAL 86 présentent différentes activités, dont l'exposition LUMIÈRES: PERCEPTION-PROJECTION ouverte aux artistes professionnels, l'exposition-documentation sur LES PROMENADES-LUMIÈRES dans la ville de Montréal, l'exposition populaire LES LUMIÈRES DE LA VILLE, des spectacles et des rencontres animés par des artistes et des spécialistes, et des ateliers éducatifs offerts aux groupes scolaires et autres dans le but d'éveiller la créativité personnelle.

La lumière est au coeur de notre réalité, elle rend visible le monde, elle influence notre perception des objets et des phénomènes visuels, elle nous permet d'agir, de projeter notre action, de mettre en lumière notre réflexion, notre mémoire, nos connaissances.

THE 100 DAYS OF CONTEMPORARY ART OF MONTREAL returns for its second consecutive year. The Montreal International Centre of Contemporary Art of Montreal (CIAC) has organized this annual international event in order to acknowledge the very latest artistic explorations.

By making the 100 DAYS OF CONTEMPORARY ART OF MONTREAL an annual event, CIAC would like to stage an important demonstration of current directions in art and to enable this reality to enter the collective memory.

By making the 100 DAYS an international event, CIAC would like to recognize exchange networks, collaborations, and similar research among those who fashion the image of contemporary culture.

By making the 100 DAYS a unique occasion to bring together works and people around a particular theme, CIAC hopes to contribute to our understanding of the data and actions of individuals participating in creating our visual environment and our philosophical thought.

Evolving around the general theme of light, the 100 DAYS OF CONTEMPORARY ART IN MONTREAL is presenting various activities, among them the exhibition LIGHT: PERCEPTION-PROJECTION, open to professional artists, the exhibition-documentation on LES PROMENADES-LUMIÈRES through the city of Montreal, the open exhibition LIGHTS OF THE CITY, events and conferences conducted by artists and specialists, and educational workshops open to student groups and others, to stimulate personal creativity.

Light is at the heart of our reality; it allows us to see the world, influences our perception of objects and visual phenomena, and permits us to act, plan our actions, and shed light upon our thoughts, memory, and knowledge.

With so vast a theme, one can only touch upon the subject. It is a rich and dense matter that artists, philosophers, and scientists throughout history have reflected upon.

Avec un thème aussi immense, nous ne pouvions qu'effleurer le sujet. C'est une matière riche et dense à laquelle ont réfléchi tous les artistes, les philosophes et les scientifiques de l'histoire humaine.

Nous avons toutefois pris le risque de soulever de nouveau le voile des ténèbres en présentant un ensemble varié de recherches et de témoignages qui signalent de nouvelles façons de voir et de penser la lumière. Nous avons évité par contre les présentations didactiques. Aussi les activités des CENT JOURS D'ART CONTEMPORAIN DE MONTRÉAL et tout particulièrement l'exposition LUMIÈRES: PERCEPTION-PROJECTION sont-elles reliées à la lumière beaucoup plus par l'effet que par l'identification d'une source lumineuse. Cette façon d'aborder le thème d'une nouvelle exposition sur la lumière nous a permis de prendre des libertés qui rendent mieux compte de sa présence et de son action sur notre vie.

Aussi croyons-nous plus sage de parler des lumières plutôt que de la lumière.

CLAUDE GOSSELIN
Président-directeur, CIAC

We have nonetheless taken the risk of once again lifting the veil of shadows by presenting a diverse collection of research and testimonials signalling new ways of seeing, and of thinking about, light. On the other hand, we have avoided didactic presentations. The activities of the 100 DAYS OF CONTEMPORARY ART OF MONTREAL, and particularly the exhibition LIGHT: PERCEPTION-PROJECTION are also related to light more by effect than by identifying a light source. This manner of arriving at a theme for a new exhibition on light has allowed us to take liberties to convey its presence in and effect on our lives.

So let us be all the wiser, and speak of luminaries rather than of light.

LA PRÉSIDENTE D'HONNEUR, L'HONORABLE LISE BACON
THE HONORARY PRESIDENT, THE HONORABLE LISE BACON

Il apparaît tout naturel dans le domaine des sciences et de l'industrie de valoriser la recherche. En art, par contre, la valeur de la recherche est parfois sentie comme moins nécessaire.

L'art participe aussi de notre richesse collective et ses manifestations contemporaines représentent, en fait, l'héritage culturel de demain. Il m'apparaît donc essentiel, pour conserver et renforcer notre identité culturelle, de promouvoir la recherche dans le domaine de l'art.

Cette démarche ne va pas sans la reconnaissance du rôle de l'artiste comme témoin des courants culturels qui façonnent notre société.

J'estime par ailleurs que le CENTRE INTERNATIONAL D'ART CONTEMPORAIN DE MONTRÉAL a toujours démontré, par ses actions, sa volonté d'encourager une production artistique audacieuse et d'en promouvoir la diffusion afin de rejoindre le public le plus large possible. L'exposition LUMIÈRES: PERCEPTION-PROJECTION suscitera, j'en suis persuadée, des échanges fructueux entre les créateurs de tous les pays participants.

La mission du ministère des Affaires culturelles consiste à promouvoir au Québec la production artistique et sa diffusion. En conséquence, c'est avec joie que j'ai accepté la présidence d'honneur de cette exposition; et je souhaite à tous les artistes invités, ainsi qu'aux organisateurs, tout le succès espéré et mérité.

It seems only natural that research is encouraged in the areas of science and industry. When it comes to art, however, the value of research is often felt to be less crucial.

Art enhances our collective wealth and its continued practice represents, in fact, tomorrow's cultural heritage. I feel that it is essential to promote research in the field of art, in order to preserve and to strengthen our cultural identity.

This process cannot continue without recognition of the artist's role as witness to the cultural currents that shape our society.

It is my considered opinion that the MONTREAL INTERNATIONAL CENTRE OF CONTEMPORARY ART has, from its inception and by its actions, fulfilled its intention to encourage innovative artistic production, and to promote its accessibility to as large a public as possible. I am convinced that the exhibition LIGHT: PERCEPTION-PROJECTION will provoke fruitful exchanges between the artists from the participating countries.

The mandate of the ministère des Affaires culturelles consists of promoting artistic production and its distribution throughout Québec. Accordingly, it is with great pleasure that I have accepted to be the exhibition's Honorary President. I would also like to extend to the artists who have been invited to participate, as well as to the organizers, my wishes for every possible success.

Lise Bacon

Vice-première ministre et ministre des affaires culturelles du Québec

LE CENTRE INTERNATIONAL D'ART CONTEMPORAIN DE MONTRÉAL
MONTREAL INTERNATIONAL CENTRE OF CONTEMPORARY ART

Le Centre international d'art contemporain de Montréal (CIAC) est un organisme sans but lucratif incorporé en vertu de la loi sur les corporations canadiennes. Les lettres patentes ont été obtenues le 27 octobre 1983.

Les objectifs du Centre sont d'organiser des manifestations culturelles ayant trait aux arts contemporains, d'encourager et de faciliter la recherche en art, d'assurer une communication entre les diverses disciplines du savoir et de sensibiliser la population à la création et aux découvertes de l'esprit.

Le CIAC n'est pas un musée; il ne constitue pas de collections.

Le CIAC est reconnu comme oeuvre de charité. Les dons reçus peuvent être déduits de l'impôt des donateurs.

The Montreal International Centre of Contemporary Art (CIAC) is a non-profit organization incorporated by virtue of the Canada Corporations Act. The letters of patent were obtained on October 27, 1983.

The Centre's objectives are to organize artistic events relating to the contemporary arts, to encourage and facilitate research in the arts, to ensure communication between various disciplines through which we acquire knowledge, and to increase the population's awareness and appreciation of creation and discoveries of the human mind.

CIAC is not a museum; it has no collections.

CIAC is recognized as a charity organization. Donations are tax-deductible.

CONSEIL D'ADMINISTRATION / BOARD OF DIRECTORS

Président / President
Claude Gosselin
Directeur du CIAC Montréal
CIAC Director

Vice-président / Vice-predient
Jeanne Renaud
Co-directrice artistique
Artistic Co-Director
Les Grands Ballets Canadiens

Secrétaire / Secretary
Paul Leblanc
Associé / *Partner*
Clarkson Tétreault Avocats / *Advocates*

Administrateurs / Directors

Maurice Forget
Associé / *Partner*
Martineau Walker Avocats / *Advocates*

Robert Gibson
Administrateur / *Director*
Gestion de placements Montréal Inc.
Montreal Investment Management Inc.

John Heward
Artiste / *Artist*

Han Pei Yuan
Médecin / *Physician*

CONSEIL CONSULTATIF / ADVISORY BOARD

Andrée Duchaine
Spécialiste de la vidéo
Video expert

Raymond Gervais
Musicien et critique
Musician and critic

Odile Hénault
Rédactrice en chef / *Editor*
Section A

John Heward
Artiste / *Artist*

Ginette Laurin
Directrice artistique
Artistic Director
O'Vertigo danse

Jeanne Renaud
Co-directrice artistique
Artistic Co-Director
Les Grands Ballets Canadiens

Normand Thériault
Conservateur et critique, arts visuels
Curator and critic, visual arts

ORGANISATION

DIRECTION GÉNÉRALE

Claude Gosselin, *directeur*
Michel Des Jardins, *adjoint au directeur*
Jean-Rock Pouliot, *assistant*
Lucie Plante, *comptabilité*
Linda Bellemare, *informaticienne*
Lise Lachapelle, *secrétaire*
Linda Bolduc, *réceptionniste*
Louis Fortier, *recherchiste juridique*

Messagers
Dennis Baril
Louis Pelchat
Normand Quintal
Daniel Saint-Louis

LUMIÈRES: PERCEPTION-PROJECTION

Claude Gosselin, *conservateur*
Annebet Zwartsenberg, *adjointe au conservateur*
Jean Tourangeau, *adjoint au conservateur*
Michel Fortin, *recherchiste*
Marie Fraser, *recherchiste*
Isabelle Kaliaguine, *designer de l'exposition*
Michel Rouleau, *designer*
Pierre Pilotte, *responsable du transport et de l'hébergement*
Paul Lacerte, *responsable de l'audio-visuel*

Services techniques
Martin-Philippe Côté, *coordonnateur*

Assistants
Recha Campfens
Marc Carrière
Luc Dansereau
Line Gamache
Marc Lavoie
Rémi Leclerc
Line Lehouiller
Lisa St-Laurent
Isabelle Savard
Jean-Pierre Séguin

Atelier de menuiserie
Les Entreprises de rénovation P. Asselin Enr.
Les Constructions R. Lauzières Enr.

Atelier électricité
Luc Qui Luc Inc.

Animation
Kateri de Bellefeuille
Hélène Gagnon
Karen Hill
Manon Lapointe
Anne Lavoie
Sylvie Talbot
Pierre Vinet

Surveillance
Claude Boisvert
Alain Brisebois
Janet Creery
Alain Grandmaison
Yonis Hineke
Marie Lambert
Lucille Lefebvre
Sandra Smith
Pierre Tremblay

Billetterie et accueil
Jasmine Gallant
Nicole Gaudette
Jacques Lacas
Madeleine Laforest
Sylvain Roy
Richard Williams

EDUCATION ET ANIMATION

Josette Bélanger, *directrice*
Marc Pître, *consultant*
Marielle Chouinard, *adjointe à la directrice*
Élaine Frigon, *adjointe à la directrice*
Luc Bourdon, *responsable de l'audio-visuel*

Les Ateliers-Lumières
Anne Ashton
Joseph Branco
Normand Daoust
Sylvie Guillot
Nathalie Pavlosky
Laurent Roberge

Les Promenades-Lumières
Robert White, *architecte-concepteur*
Élaine Frigon, *assistante*
Marc Hyland, *compositeur*

Agents culturels
Louise Chouinard
Marie-Andrée Côté
Hélène Deslières
Marie Hippolyte

Les Rencontres-Lumières
Luc Courchesne, *responsable*
Suzanne Tremblay, *adjointe au responsable*

COMMUNICATIONS ET PUBLICITÉ

Paquerette Villeneuve, *directrice*
Serge Bérard, *adjoint à la directrice*
Pierre-George Goad, *adjoint à la directrice*
Yzabelle Martineau, *recherchiste*
Michel Lacroix, *recherchiste*
Israël Charney, *directeur du graphisme*
Jeffrey Goodman, *graphiste*
Grauerholz & Delson, *graphistes*
Lise Demers, *responsable des publications*
Jean Gagnon, *responsable de l'audio-visuel*
Christiane Lévesque, *secrétaire*
Thérèse Doyle, *réceptionniste*

LEVÉE DE FONDS

Allan Berezny
Thérèse Dion

7

REMERCIEMENTS / ACKNOWLEDGMENTS

LES CENT JOURS D'ART CONTEMPORAIN – MONTRÉAL 86 ont été rendus possibles grâce aux appuis nombreux que nous avons reçus tant des institutions publiques que privées.

Qu'il me soit permis de remercier l'Honorable Lise Bacon, vice-première ministre et ministre des Affaires culturelles du Québec pour avoir accepté le patronage des CENT JOURS D'ART CONTEMPORAIN. Son appui souligne l'importance qu'elle accorde à la promotion et à la diffusion de l'art d'aujourd'hui. Je remercie également ses collègues des ministères provinciaux et fédéraux qui ont financé, par leurs programmes respectifs, les différentes manifestations des CENT JOURS, ainsi que la CIDEM Tourisme de la Ville de Montréal et le Conseil des arts de la Communauté urbaine de Montréal.

Je dois souligner la magnifique collaboration que nous avons reçue de la part de la Société immobilière Place du Parc qui, par l'intermédiaire de monsieur Serge Hutchinson et de son assistante madame Josée Pittarelli, a permis que, pour la deuxième année consécutive, nos expositions se tiennent dans ses espaces. Je dois souligner ma gratitude pour l'ouverture d'esprit qu'ils ont démontrée à notre égard.

De plus, aux entreprises privées de l'année dernière, de nouvelles se sont jointes à nous, affirmant ainsi des collaborations possibles entre les arts, les sciences, la culture et les affaires.

LES CENT JOURS D'ART CONTEMPORAIN sont l'occasion d'une grande exposition thématique, d'activités et de rencontres. Je remercie tous les artistes et tous les professionnels, spécialistes et autres qui, par leur généreuse contribution, ont rendu cet événement possible. Je les remercie d'autant plus chaleureusement qu'ils ont accepté de participer au CENT JOURS dans un très court délai, remaniant dans certains cas des horaires déjà chargés. Sans l'appui efficace de directeurs et de directrices de galeries notre tâche aurait été beaucoup plus difficile. Aussi, il me fait plaisir de témoigner de leur grande collaboration.

Enfin, ma reconnaissance s'adresse tout particulièrement à tout le personnel du CIAC. À toutes ces personnes, employés, contractuels et conseillers, un immense merci pour les efforts remarquables fournis tout au long de la préparation et de la réalisation des CENT JOURS.

Et à tous ceux et à toutes celles qui, de près ou de loin, ont participé à la dynamique des CENT JOURS D'ART CONTEMPORAIN, j'adresse ici mes remerciements les plus sincères.

CLAUDE GOSSELIN

THE 100 DAYS OF CONTEMPORARY ART – MONTREAL 86 were made possible due to the extensive support we have received from public and private institutions.

I would like to thank the Honorable Lise Bacon, Vice-Premier and Minister of Cultural Affairs of Quebec, for having accepted to be Honorary President of THE 100 DAYS OF CONTEMPORARY ART. Her support underlines the importance she attributes to the promotion and distribution of contemporary art. I would equally like to thank her colleagues in federal and provincial ministries who have financed, through their respective programmes, the different events marking THE 100 DAYS, as well as CIDEM Tourisme of the City of Montreal and the Arts Council of the Montreal Urban Community.

I must emphasize the magnificent contribution we have received from the Société immobilière Place du Parc, which, through its intermediary, Mr. Serge Hutchinson, and his assistant, Mrs. Josée Pittarelli, has allowed, for the second consecutive year, our exhibitions to be held on its premises. I would like to extend my gratitude for the generosity of spirit they have shown us.

And I would further like to thank the private corporations which supported us last year and are still continuing to do so, and the new ones who have joined us this year, confirming that collaboration between the arts, science, culture, and the business community is possible.

THE 100 DAYS OF CONTEMPORARY ART are an occasion for an extensive thematic exhibition, activities, and conferences. I would like to thank all the artists and professionals, specialists and others, who, through their generous contribution, have made this event possible. My thanks are all the more heartfelt considering that they accepted to participate in THE 100 DAYS on very short notice, in certain cases reordering their already tight schedules.

Without the efficient support of gallery directors, our task would have been all the more difficult. I am also pleased to take this opportunity to acknowledge their considerable contribution.

Finally, I would like to express my particular gratitude to all the CIAC personnel: a resounding thank-you to all those employees, contractors, and consultants for the remarkable effort they have provided throughout the preparation and realization of THE 100 DAYS OF CONTEMPORARY ART.

And to all those, at home and abroad, who have participated in the dynamics of THE 100 DAYS OF CONTEMPORARY ART, I would like to extend my most sincere appreciation.

Nos remerciements aux galeries d'art ayant prêté
leurs oeuvres ou ayant fourni leur collaboration.

Art Galaxy, New York
Cold City Gallery, Toronto
Galerie Art 45, Montréal
Galerie Chantal Boulanger, Montréal
Galerie Chantal Crousel et Ghislaine Hussenot, Paris
Galerie Claire Burrus, Paris,
Galerie Graff, Montréal
Galerie J. Yahouda Meir, Montréal
Galerie John A. Schweitzer, Montréal
Galerie L. et M. Durand-Dessert, Paris
Galerie Montenay-Delsol, Paris
Galerie Noctuelle / Michel Groleau Art Actuel, Montréal

Galerie René Blouin, Montréal
Leo Castelli Gallery, New York
Luhring Augustine & Hodes Gallery, New York
Marian Goodman Gallery, New York
Ronald Feldman Fine Arts Inc., New York
S.L. Simpson Gallery, Toronto
The Ydessa Gallery, Toronto

Banque d'oeuvres d'art du Conseil des arts du Canada
Musée des Beaux-Arts de Montréal
Le Vidéographe, Montréal

Les Cent jours d'art contemporain — Montréal 86
sont réalisés grâce aux appuis financiers suivants:

Les Gouvernements:
Le ministère des Affaires culturelles (Québec)
Le ministère du Tourisme (Québec)
Le ministère des Relations internationales (Québec)

Le ministère de l'Emploi et de l'Immigration (Canada)
Le ministère des Communications (Canada)
Le ministère des Affaires extérieures (Canada)
Le Conseil des arts du Canada

Le Conseil des arts de la Communauté urbaine de Montréal
CIDEM-Tourisme de la ville de Montréal

L'Association française d'action artistique (France)

Les Patrons
La Société immobilière Place du Parc
Wang Canada Limitée
Inphoson Inc.

Les Bienfaiteurs
La Banque nationale du Canada
Martineau Walker avocats
L'Hôtel du Parc
Les Entreprises industrielles Westburne Limitée
Les Immeubles Steinberg Limitée
Fondation de la famille Samuel et Saidye Bronfman
Gestion de Placements Montréal
Hydro Québec
La Corporation de l'Archifête
Le Groupe Vidéotron Limitée
La Corporation Télémédia
Bernard Payeur, Informatique Boréal
Lavalin

Les Donateurs
La Brasserie Molson du Québec Limitée
Nesbitt Thompson Bongard Inc.
Dr. Han Pei Yuan

Les Amis
Alkébec Inc.
C.H. Otto
McNeil, Mantha Inc.
Provigo Inc.
Museo Techni Inc.

*The 100 Days of Contemporary Art — Montreal 86
are funded by:*

Governments:
Le ministère des Affaires culturelles (Québec)
Le ministère du Tourisme (Québec)
Le ministère des Relations internationales (Québec)

Ministry of Employment and Immigration (Canada)
Ministry of External Affairs (Canada)
Ministry of Communications (Canada)
The Canada Council

Montreal Urban Community's Arts Council
CIDEM-Tourisme (City of Montreal)

L'Association française d'action artistique (France)

Patrons
La Société immobilière Place du Parc
Wang Canada Ltd.
Inphoson Inc.

Benefactors
National Bank of Canada
Martineau Walker Advocates
L'Hôtel du Parc
Westburne Industrial Enterprises Ltd.
Steinberg Ltd.
The Samuel and Saidye Bronfman Family Foundation
Montreal Investment Management Inc.
Hydro Québec
La Corporation de l'Archifête
Videotron Ltd.
Telemedia Corporation
Bernard Payeur, Informatique Boréal
Lavalin

Donors
Molson's Brewery Quebec Ltd.
Nesbitt Thompson Bongard Inc.
Dr. Han Pei Yuan

Friends
Alkébec Inc.
C.H. Otto
McNeil, Mantha Inc.
Provigo Inc.
Museo Techni Inc.

LUMIÈRES: PERCEPTION-PROJECTION

LUMIÈRES: PERCEPTION-PROJECTION
LIGHT: PERCEPTION-PROJECTION

Claude Gosselin

Je ne suis plus que l'ombre de moi-même. En moi le temps trouble ma perception et tout autour la lumière me jette dans l'incertitude. Je ne suis plus que l'ombre de moi-même quand vient le temps de parler de la lumière.

Et pourtant toute l'histoire de l'art est marquée par la lumière. Le sujet devrait donc être facile à cerner. Or il s'avère que son contenu génère des possibilités qui augmentent régulièrement la complexité du phénomène. Phénomène qui se définit de plus en plus grâce à nos connaissances scientifiques mais qui, par la même occasion, prend plus d'expansion à la suite des moyens techniques qu'il crée. De même, notre représentation de la lumière, ou de son utilisation, est-elle influencée par nos comportements sociaux et les valeurs quotidiennes que transmettent nos actions.

Il devient donc impossible de parler de la lumière au singulier, surtout dans une exposition où les artistes ne situent pas exclusivement leurs démarches par rapport à celle-ci, mais à laquelle tous, par contre, se rattachent en la prenant comme sujet d'étude ou comme élément de l'oeuvre globale.

Lumières, donc, au pluriel. Et en sous-titre, deux dominantes: Perception et Projection. Lumières qui permettent de *percevoir* le monde, de recevoir l'information qu'il contient; lumières aussi qui permettent de *projeter* une information personnelle dans le monde. Deux approches qui laissent entrevoir la position de l'artiste.

LUMIÈRES: PERCEPTION

Regarder autour de soi, regarder les éléments se définir par l'action de la lumière, regarder la lumière se transformer sous le simple effet de l'habitude de l'oeil à sa présence. Mais ne serait-ce pas plutôt notre oeil qui, recevant au cours d'une durée définie les particules atomiques de la lumière, découvre peu à peu l'action des forces physiques et électromagnétiques qui composent l'environnement? De là l'importance du facteur "temps" pour la

I am but a shadow of myself. Time blurs my perception and everywhere light casts me into uncertainty. I am but a shadow of myself when it comes to speaking of light.

And yet, the entire history of art has been affected by light. Therefore it should be a simple subject to define, when in fact it turns out that its content generates possibilities which regularly augment the complexity of the phenomenon. It is a phenomenon that is becoming increasingly well defined due to the scientific knowledge we possess, but one that continues to expand as a result of the technical resources it has engendered. Similarly, our representaton of light, or its usage, is influenced by our social behaviour and day-to-day values our actions convey.

It would therefore seem impossible to refer to light in the singular, especially in an exhibition where the artists do not situate their processes exclusively in terms of light, using it rather as an element in the work as a whole.

Light, then, in the plural sense. And, as a subtitle, two dominant themes: Perception and Projection. Light that permits us to perceive the world and to receive the information it contains; and light that allows the projection of personal information to the world. These two approaches give some idea of the artist's position.

LIGHT: PERCEPTION

To look around ourselves, to watch elements become defined by the action of light, to watch light transform itself under the influence of the eye's adaptation to its presence. Could it not be a question of the eye receiving atomic particles of light within a fixed period of time and slowly discovering the effects of those physical and electromagnetic forces that make up our environment? Consequently, the importance of the 'time' factor in understanding the experiences of luminous situations is derived.

13

compréhension des expériences de situations lumineuses.

Nous pensons alors à James Turrell, Todd Siler, Chris Burden, Robert Rosinsky, Juan Geuer, Ange Leccia, Daniel Buren et Luc Courchesne qui, à l'analyse du phénomène lumineux, impliquent la participation du spectateur, c'est-à-dire le temps que celui-ci ou celle-ci accepte d'accorder à l'expérience visuelle. Cette durée s'enrichit des réactions individuelles et des comportements de chacun et de chacune face à ses disponibilités envers une expérience scientifique et artistique. Chez tous ces artistes, la simplicité des compositions et des expériences proposées concentre l'attention du spectateur sur la recherche visuelle.

L'artiste considéré comme scientifique est de nouveau accepté, l'esprit de la Renaissance nous revient. Todd Siler, Robert Rosinsky, Chris Burden et Juan Geuer partagent cette notion d'une connaissance qui se bâtit grâce aux apports accumulés des sciences et des arts. Todd Siler et Robert Rosinsky étudient le phénomène de l'"after-image", Chris Burden présente "The-Speed-of-Light Machine" et Juan Geuer crée des vases communicants de lumières entre l'extérieur et l'intérieur de l'édifice.

Mais aussi, et à des degrés divers à l'intérieur de ce regroupement, retrouvons-nous ce que nous appellerons "l'effet plastique". Ainsi, aux valeurs de l'observation stricte et objective que soutiennent les premiers, Ange Leccia et James Turrell mettent, pour un instant, le spectateur dans une situation de plaisir plus sensuel. L'expérience visuelle passe alors par la sensibilité du spectateur qui se laisse émouvoir.

Ange Leccia, par l'utilisation de sources lumineuses appartenant aux domaines du spectacle, du cinéma et de la photographie, rappelle du même coup les outils qui permettent de créer les images des médias contemporains et leurs supports. Il montre l'envers du décor tout en s'en servant pour créer une oeu-

One thinks of James Turrell, Todd Siler, Chris Burden, Robert Rosinsky, Juan Geuer, Ange Leccia, Daniel Buren, and Luc Courchesne, all of whom, in their analyses of visual phenomena, involve the participation of the viewer, i.e., the length of time he or she allots to the visual experience. This duration increases by the reactions of the individuals and their behaviour and receptiveness to a scientific and artistic experiment. With these artists, in their simplicity of composition and the proposed experiments, the viewer's attention is concentrated on visual research.

The notion of artist as scientist is once again acceptable, the Renaissance spirit making a comeback. Todd Siler, Robert Rosinsky, Chris Burden, and Juan Geuer share this notion of a knowledge built on the accumulated contributions from the arts and sciences. Todd Siler and Robert Rosinsky deal with the phenomenon of "after-image", Chris Burden is presenting The Speed-of-Light Machine, and Juan Geuer has created connecting vessels that communicate light between the exterior and the interior of the building.

But to varying degrees within this grouping, we also encounter what could be called the "aesthetic effect". For example, Ange Leccia and James Turrell place the spectator for an instant in a more sensual situation while adhering to the strict and objective rules that govern the others. The visual experience in this case hinges on the sensitivity of the viewer, who then allows himself or herself to be moved.

Ange Leccia, by using light sources normally found in show business, film, and photography, remind us that these same tools are used to create contemporary media images and their support system. He reveals the back of the set, using it to create an original, autonomous work. He identifies these light sources as the primary elements in the hands of today's image producers, making them the actors and actresses of our everyday life. We see the light from these devices at the same

vre nouvelle et autonome. Il identifie ces sources d'éclairage comme éléments premiers mis entre les mains des fabricants des images d'aujourd'hui. Il en fait des acteurs et des actrices de notre vie quotidienne. Nous regardons alors la lumière de ces appareils en même temps que toutes les productions qu'ils révèlent ou qu'ils cachent. On ne peut s'empêcher d'en être séduits tout en notant la distanciation qu'ils maintiennent envers nous.

Pour sa part, James Turrell sème le doute dans notre perception de l'espace aménagé. L'oeil n'arrive pas à s'adapter à l'intensité vibrante de la lumière utilisée. Le champ optique ainsi créé s'est enrichi de qualités devant lesquelles nos références ordinaires n'arrivent plus à s'ajuster. Ou alors c'est notre mémoire qui se refuse à vivre instantanément la situation qui nous est proposée. Constamment mis en abyme dans notre équilibre optique, nous cherchons à reconstruire un paysage apprivoisé. James Turrell nous ouvre les portes d'un monde où la lumière, qu'elle soit présente ou non, construit les référents de sa lecture.

La lumière est également au centre de l'oeuvre de Dan Flavin. Par une grande simplicité de moyens, son oeuvre touche à la fois à la lumière elle-même, à l'espace et aux comportements humains. À la lumière en définissant certaines de ses propriétés, à l'espace en délimitant les volumes, et aux comportements humains par les ambiances créées.

Quant à Keith Sonnier et Michael Hayden, ils apportent avec le néon une écriture moderne qui fait office de signe visuel. La calligraphie de Sonnier a la grâce des traits des peintres japonais et chinois pour signifier une montagne, un lac ou une image. La sculpture suspendue de Hayden a la gratuité du geste d'un enfant et la logique de mathématiques implacables.

À l'écart de tous se tient Daniel Buren qui, par la rigueur de sa grille plastique, maintient le spectateur à l'intérieur de l'enjeu de l'expérience, tout en lui offrant la possibilité d'un déplacement physique autour de et dans

time as the productions they reveal or conceal. We cannot avoid being seduced, all the while noting the distance they keep from us.

In the case of James Turrell, he sows doubt in our perception of the arrangement of a space. The eye can't quite adapt to the vibrating intensity of the light used. The resulting optical field acquires qualities to which our ordinary references cannot adjust. Or perhaps it is our memory that refuses to experience the proposed situation. We attempt to reconstruct a manageable landscape, constantly in the chasm of our optical equilibrium; James Turrell opens the doors to a world where light, whether it is present or not, constructs the references of his discourse.

Light is equally central to Dan Flavin's work. With great simplicity, his work touches at once light itself, space, and human behaviour; light, by defining its properties, space by delineating volumes, and human behaviour by the resulting ambience.

Keith Sonnier and Michael Hayden contribute, with their neons, to a modern writing used as visual signing. Sonnier's calligraphies have the grace of the characters that Japanese and Chinese painters use to signify a mountain, a lake, or an image. Hayden's suspended sculpture is as whimsical as a child's gesture, while retaining implacable mathematical logic.

Daniel Buren is remote from the others; the vigour of his plastic grid at once keeps the viewer within the confines of the experience, and allows a physical displacement in and around the visual arrangement. The viewer finds himself or herself constantly trying to discern the structure of the system in place.

The notion of time, mentioned earlier, assumes a particular connotation in Paul Hunter's work. It is not a case of becoming immersed in light rendered more precise after a certain time, but rather one of perceiving the time passing by reliving the passage of a day from morning to night, from sunrise to sunset. This action is illustrated with urban scenes and private interiors built in flat boxes. Perforated

l'aménagement visuel. Le spectateur se surprend à chercher constamment la structure du système mis en place.

La notion de temps que nous évoquions plus haut prend une connotation toute particulière dans l'oeuvre de Paul Hunter. Il ne s'agit pas ici de se laisser imprégner d'une lumière rendue plus précise après un certain temps, mais de percevoir le temps qui passe en revivant la durée d'une journée du matin au soir, du lever du soleil à son coucher. L'action est illustrée par des mises en scènes urbaines et des intérieurs privés construits dans des boîtes plates. Percées sur le dessus et déplaçables sous une source lumineuse, les boîtes s'animent au rythme du manipulateur. Ainsi, la lumière marque-t-elle la durée, le temps.

Dans cet ordre d'idée, mais d'une manière autre, les sculptures de Roland Poulin vivent de cette relation au placement / déplacement d'une source lumineuse, naturelle ou artificielle. Les transformations qu'impose aux oeuvres de Poulin l'intensité variable de la lumière du jour rendent plus visibles les notions de volume et d'ombre portée que sous-tend toute sculpture. La lecture des parties sombres et des parties éclairées, du volume lui-même et de sa projection sur le sol ou sur le mur voisin, devient essentielle à la compréhension de l'oeuvre et à la volonté de l'artiste. Gilles Mihalcean utilise différemment la lumière dans ses sculptures. Chez lui, elle est une composante de l'oeuvre au même titre que le plâtre ou le bois. Elle ne sert pas à éclairer la pièce mais à donner des qualités de surfaces, à découper des aires précises et construire avec l'impalpable.

Certains travaux de Bertrand Lavier pourraient se rattacher à cette démarche. Les "Picture Light" par exemple mettent en évidence la peinture dans sa matérialité tout en ironisant sur une façon traditionnelle et conservatrice d'éclairer un tableau. La peinture chez Lavier est un matériau de recouvrement qui confère à l'objet recouvert un statut d'oeuvre d'art. Il émet au sujet de l'histoire de l'art un commen-

on the bottom and movable under a light source, these boxes come to life at a rate determined by the person handling them. In this way, light registers time, its duration.

Roland Poulin's sculptures function in much the same way, but with a difference; they depend on this relation to the placement/ displacement of a natural or artificial light source. The transformations of Poulin's works, imposed by the variable intensity of daylight, reveal notions of volume and the range of shadows that underlie all sculpture. Reading the dark and lit areas of the volume and its projection onto the floor or the adjacent wall is essential to understanding both the work and the artist's intention.

Gilles Mihalcean uses light differently in his sculpture. Light is as important a component in his work as plaster or wood. It is not employed merely to light the work, but to enhance the qualities of surfaces, to section off precise areas, and to construct with the impalpable.

Certain of Bertrand Lavier's works resemble this process. For example, Picture Light evidences painting in its immateriality while ironically referring to a traditional, conservative method of lighting a painting. Paint, for Lavier, is a material with which to cover a surface, allowing the object to regain its status as a work of art. In terms of the history of art, he posits a commentary on the perception of art in the manner it adopts a system of values that is foreign to him.

With Bertrand Lavier's work, the section LIGHT: PERCEPTION becomes more complex, with the introduction of narrative elements that give the works a dimension not elaborated by the preceding ones.

Photography, in the etymological sense of "writing with light", allows the recording of data at once objective and manipulated by the artists. The works of the photographers in the exhibition are linked to this approach. Marvin Gasoi, for example, literally draws with light and combines an assemblage of

taire sur la perception de l'art lui-même dans ses façons de s'introduire dans un système de valeurs qui lui est étranger.

Avec l'oeuvre de Bertrand Lavier, la section LUMIÈRES: PERCEPTION se complexifie par l'introduction d'éléments narratifs qui donnent aux oeuvres qui vont suivre une dimension que les précédentes ne développaient pas.

La photographie, c'est-à-dire dans son sens étymologique "L'écriture avec la lumière", permet l'enregistrement de données à la fois objectives et manipulées par les artistes. Les travaux des photographes de l'exposition se rattachent davantage à cette dernière approche. Marvin Gasoi par exemple dessine littéralement avec la lumière et réunit dans des cibachromes très chargés un assemblage de signes gestuels et d'objets-témoins. Serge Tousignant saisit la lumière naturelle que laisse passer la fenêtre de son studio et rend la situation artificielle par un jeu de montage dans lequel une fausse fenêtre éclairée de l'intérieur met en échec la première. Un clin d'oeil à la fenêtre, source de lumière et symbole d'une ouverture de l'art à la nature, alors que tout se passe dans le studio de l'artiste. Pour sa part Holly King fait valser de petites lumières dans la nuit, sorte de langues de feu au-dessus d'une nappe liquide sombre. Lumière et obscurité jouent ici les mystères nocturnes. Philippe Cazal met en scène des personnages dramatisés par un éclairage de studio et dont l'ambiguïté des sentiments exprimés se prolonge dans une phrase sans liens apparents avec le moment de la photographie. Sa lumière devient un accessoire de théâtre.

Il en est de même chez Eldon Garnet qui utilise la photographie pour composer des images aux contenus troubles. La perception de ses oeuvres s'adresse autant à notre raison qui voudrait y trouver une situation réelle qu'à nos instincts qui prennent plaisir au récit d'une fiction.

Pour les artistes oeuvrant en holographie, la source lumineuse donne une troisième di-

gestural signs and object-evidence in his highly charged cibachromes. Serge Tousignant captures light coming through his studio window, making the situation artificial in the way he assembles the elements; lighting a false window from the inside counters the first—a reference to the window, both light source and symbol of the opening of art onto nature, when, in fact, everything occurs in the artist's studio. In Holly King's work, tiny lights begin waltzing in the night, like tongues of fire above a yellow film of liquid: light and obscurity performing nocturnal mysteries. Philippe Cazal directs characters dramatized by studio lighting, and the ambiguous emotions they express are prolonged in a phrase that has no apparent links to the moment of the photograph, his light becoming a theatre prop.

Eldon Garnet also uses photography to compose pictures with disquieting content. The perception of his work addresses both our reason, which would like to find a real situation, and our instincts, which take pleasure in a fictional narrative.

For the artists employing holography, the light source adds a third dimension to their two-dimensional work. Dieter Jung favours establishing thick layers of colour that take on the appearance of the aurora borealis. Marie-Andrée Cossette reconstructs everyday objects; and Al Razutis maintains a research on holography itself, while noting certain technological uses.

mension à leur oeuvre bidimensionnelle. Dieter Jung s'attache à établir des épaisseurs de couleurs qui prennent presque l'allure d'aurores boréales. Marie-Andrée Cossette reconstitue des objets quotidiens alors qu'Al Razutis y maintient une recherche sur l'holographie elle-même tout en signalant certaines utilisations technologiques.

Entre la photographie et l'holographie, David Tomas occupe une place marginale. Autant son travail traite de la photographie, autant sa mise en forme se rapproche de l'holographie. Cette cohérence qu'il tente d'établir entre la représentation bidimensionnelle de la photographie et la réalité tridimensionnelle se résout dans les installations qui prennent l'allure de chambre noire où l'oeil de la caméra est traversé par un rayon laser, cette lumière qui imprime l'image photographique et fait du monde visible un immense hologramme.

Certains aspects du travail de Jon Kessler permettent de rapprocher son oeuvre de l'holographie bien qu'il n'en soit rien. On y retrouve une troisième dimension enfermée dans un relief et animée par une lumière en mouvement, un effet de profondeur variable et une intrigue visuelle alimentée par une diversité de matériaux et d'éléments à première vue hétéroclites. Une oeuvre baroque que rejoignent les installations de Kristin Jones et d'Andrew Ginzel et celles de John Francis. Alors que Jones et Ginzel recherchent un espace sobre pour l'envahir d'effets lumineux (rhéostat, éclairages divers, projecteurs, etc.) pour mettre en scène un théâtre des objets, John Francis, pour sa part, se plaît dans un espace animé où la dynamique est créée par la tension qu'il établit entre les objets et l'espace.

Dans ce même espace reclus, les néons de Bruce Nauman, "Sex and Death", seraient à l'aise. Nauman utilise une écriture qui relève de la boîte de nuit, du plaisir des rencontres et du clignotement rapide qui marque la frénésie du lieu et de l'action. La lumière néon est froide et les formes des corps mal dégrossies.

David Tomas occupies a marginal area somewhere between photography and holography. His work deals with photography, but his constructions are closer to holography. The coherence he seeks to establish between photography's two-dimensional representation and three-dimensional reality is resolved in the installation, which takes on the appearance of a darkroom, where a laser beam passes the eye of the camera. It is this light that imprints the photographic image and makes the visible world into an immense hologram.

Though Jon Kessler doesn't use holography, certain aspects of his work approach it. We recognize a third dimension enclosed in relief and brought to life by a moving light. This incurs a variable, deepening effect and a visual intrigue nourished by the diversity of materials, which at first appear to be heterogeneous. The baroque nature of this work links it to the installations of Kristin Jones and Andrew Ginzel, and to those of John Francis. Where Jones and Ginzel seek out spare areas to invade with lighting effects (rheostat, diverse lighting, projectors, etc.) and direct a theatre of objects, John Francis depends on lively spaces, where the dynamic is created through the tension established between objects and space.

Bruce Nauman's neons Sex and Death would be comfortable in this enclosed space. Nauman uses a writing derived from night clubs, pleasurable encounters, and rapid flashes to mark the frenzy of the site or the action. The neon light is a cold one, the outlines of the bodies grossly misshapen.

LUMIÈRES: PROJECTION

Toute division reste arbitraire et celle-ci n'échappe pas à la règle. Elle a toutefois l'avantage de faciliter une lecture de l'exposition à partir des moyens mis en place par l'artiste pour réaliser son oeuvre.

Projection est ici pris dans le sens matériel d'une projection d'images sur un écran, incluant la vidéo et le cinéma. La projection se passe dans l'obscurité, en règle générale.

Certains artistes souhaitent la participation des spectateurs. C'est le cas de Jacqueline Dauriac, de Nan Hoover, de Pierre Ayot et de Claude-Philippe Benoit. Leurs oeuvres sont conçues de telle façon que leur efficacité est démontrée, pour ainsi dire, par cache temporaire de l'image; le visiteur, par un acte délibéré ou par un parcours obligatoire, passe devant la lentille du projecteur ou de la caméra. L'obstruction de l'image laisse voir pour un instant le mécanisme de la représentation alors qu'ailleurs elle implique le visiteur dans l'oeuvre. Dans une démarche voisine, Muriel Olesen utilise les projections pour augmenter l'effet d'illusion de la représentation artistique.

Pour sa part, Michel Verjux met en lumière l'architecture d'un lieu par ses projections de lumière blanche. Dans son cas, aucune image; seul le faisceau blanc de la lumière d'un projecteur à diapositives va buter en partie contre un socle, dessinant au loin le cadre d'une intervention.

L'oeuvre de Christian Boltanski est la seule de l'exposition à utiliser le feu comme source de lumière. Une lumière qui donne la vie à des êtres porteurs de la mort, une lumière qui consume la vie en même temps qu'elle la maintient. La vie nous mène à la mort et la lumière aux ténèbres. Implacablement.

L'idée de la mort revient dans l'oeuvre de Barbara Steinman et n'est pas étrangère à celle de Geneviève Cadieux. Dans le premier cas, la flamme du cénotaphe est produite par la lumière d'un moniteur vidéo caché dans le socle. Flamme ou lumière éternelle qui rappelle

LIGHT: PROJECTION

All divisions are arbitrary, and this one is no exception. But it can be of use in facilitating a reading of the exhibition according to the method determined by the artist in producing his or her work.

Projection is used here in the material sense: the projection of images onto a screen, using video and film. As a general rule, the projection takes place in darkness.

Certain artists need the participation of viewers. This is the case with Jacqueline Dauriac, Nan Hoover, Pierre Ayot, and Claude-Philippe Benoit. Their works are conceived in such a way that their effectiveness is demonstrated, in a manner of speaking, by the temporary masking of the image; the visitor, by a deliberate act or by following an obligatory route, passes in front of the lens of the projector or camera. The obstruction of the image reveals momentarily the representational mechanism while elsewhere implicating the visitor in the work. Muriel Olesen adopts a similar approach by using projections to heighten the effects of the illusion of artistic representation.

Michel Verjux brings to light the architecture of a site with his projections of white light. There is no image in this case; only the white beam of light from a slide projector coming to rest against the base of the wall, tracing out the frame of an intervention.

Christian Boltanski's work is the only one in the exhibition to use fire as a source of light. It is a light that brings harbingers of death to life, one that consumes life at the same time that it maintains it. Life leads to death, and light to tenebrae. Irrevocably.

The idea of death recurs in the work of Barbara Steinman and is no stranger to Geneviève Cadieux's. In the first instance, the cenotaph's flame is produced by the light of a video monitor concealed in its pediment. The eternal flame or light recalls the disappeared, as do the faces projected on each side of the central monument. In Geneviève Cadieux's

la vie des disparus au même titre que ces visages projetés de chaque côté du monument central. Chez Geneviève Cadieux, une paire d'yeux animés regardent à distance un squelette et un soulier. Une ombre humaine peu définie met en douce le lien entre ces objets.

Leonardo Da Vinci et les artistes de la Renaissance ont établi que le clair-obscur façonnait la perspective. Pour eux la lumière devint une source quantifiable agissant directement sur notre oeil et ses facultés perceptives. À l'exposition, Giulio Paolini nous donne une leçon de représentation en projetant, sur la surface de trois murs, les règles de la perspective. L'individu prend place au centre du monde en s'identifiant comme source de la connaissance.

Gérard Collin-Thiébaut projette le soleil de minuit en vingt-quatre images sur un mur circulaire au son de deux compositions musicales différentes. Il établit ainsi un rythme visuel et psychologique auquel s'ajoute un dépaysement spatial et historique.

Pour leur part, Tim Head et Krzysztof Wodiczko se servent d'images projetées comme une économie de moyens mis à leur disposition pour tenir un discours social complexe.

LUMIÈRES: PERCEPTION-PROJECTION

Si tous les artistes n'utilisent la lumière, ils ne peuvent toutefois pas s'empêcher de composer avec elle. Même ceux et celles qui situent ailleurs l'objet de leurs préoccupations.

La lumière, par sa composition même de photons électriques, marque les matières qui nous entourent. Ce qu'elle ne touche pas, nous n'en avons pas connaissance.

L'exposition LUMIÈRES: PERCEPTION-PROJECTION regroupe des oeuvres d'artistes dont les expériences se fondent sur diverses connaissances de la lumière. Ce qui reste fascinant, c'est cette permanence de la conquête de la lumière à travers l'histoire.

D'une lumière peinte à une lumière photographique, d'une lumière représentée à une lumière présente, la lumière est progressive-

work, animated eyes watch a skeleton and a shoe from a distance. A barely defined human shadow calls into doubt the relationship between these objects.

Leonardo da Vinci and the Renaissance artists established that chiaroscuro shaped perspetive. They believed that light sprang from a quantifiable source, acting directly on the eye and its faculties of perception. In the exhibition, Guilio Paolini gives a lesson in representation, by projecting the rules of perspective onto the entire surface of three walls. The individual assumes a place at the centre of the world by identifying himself or herself as the source of knowledge.

Gérald Collin-Thiébaut projects twenty-four images of the midnight sun onto a circular wall, to the strains of two different musical compositions. He thereby establishes a visual and psychological rhythm, as well as causing a historical and spatial disorientation.

Tim Head and Krzysztof Wodiczko use projected images as an economy of means at their disposal to engage a complex social discourse.

LIGHT: PERCEPTION-PROJECTION

Even if all the artists don't use light, they certainly cannot deny its role in composition, even for those whose preoccupations lie elsewhere.

Light, by its composition of electric photons, touches upon all matter surrounding us. And we know nothing of what it does not touch.

The exhibition LIGHT: PERCEPTION-PROJECTION brings together the works of artists whose experimentations are based on a wide-ranging knowledge of light. What remains fascinating is the ongoing attempt to conquer light throughout history.

From a painted light to a photographed light, from one represented to one shown, light has progressively become the mainstay of the work. More and more, it is true that light allows the work to exist.

ment devenue le support de l'oeuvre. Il est de plus en plus vrai de dire que la lumière permet à l'oeuvre d'exister.

La photographie, la vidéo, le cinéma, la télévision, l'holographie, les créations au laser et à l'ordinateur sont autant de média contemporains qui se développent à partir d'une connaissance de plus en plus précise de la lumière et de ses capacités d'enregistrement et de transmission.

Lumières au pluriel, car les sources sont nombreuses et les utilisations variées. Le sens même donné à la lumière est matière à interprétation. Il est étrange de noter que plus nous nous intéressons à la lumière et plus nous l'utilisons dans nos messages, plus nous nous réfugions dans l'obscurité.

On remarquera combien d'oeuvres contemporaines se présentent dans des espaces assombris et combien nécessitent des murs sombres, sinon noirs, pour leur installation. La lumière chasse la lumière. La lumière se laisse découvrir dans l'obscurité. Paradoxe étrange qui laisse perplexe.

Paradoxe étrange qui laisse entrevoir le développement des facultés créatives. À la noirceur, l'être est inquiet et cherche sa route. En pleine lumière il devient passif. Une façon de nier la personnalité d'un groupe d'individus est de les placer sous une douche de lumière blanche. Abaisser la lumière, créer des zones d'intensité différentes et ils ou elles réagiront selon des besoins différents.

LUMIÈRES: PERCEPTION-PROJECTION est un lieu de réflexion sur la lumière et témoigne de sa présence de plus en plus marquante dans notre monde technologique. Les artistes réunis dans cette exposition y contribuent remarquablement.

Photography, video, cinema, television, holography, laser, and computers are just a few contemporary media that have developed from an increasingly precise knowledge of light and its recording and transmission capabilities.

Light, in the plural sense, then, its sources being numerous and its uses varied. The very meaning we impart to light is open to interpretation. It is odd to note that the more we become interested in light and use it in our messages, the more we seek refuge in darkness.

The number of contemporary works of art being shown in darkened rooms, and of those that require dark, if not black, walls for their installation, is also noteworthy. Light expels light. That it is in darkness that light is discovered is a strange paradox, which leaves us perplexed; it is one that allows the development of artistic faculties to become more evident. One becomes worried in the dark and searches out a path, but one becomes passive in a surfeit of light. One way to divest a group of individuals of their personality is to immerse them in a shower of light. If you dim the lights, creating zones of different intensities, they will react according to different needs.

LIGHT: PERCEPTION-PROJECTION is a place to reflect on the nature of light and to acknowledge its very striking presence in our modern technological world. The artists brought together in this exhibition greatly contribute to it.

D'UN RÉEL À L'AUTRE
REAL TO REAL

Danielle Roy artiste

L'exposition LUMIÈRES: PERCEPTION-PROJECTION survient à un moment de l'histoire où nous atteignons un haut degré de sophistication dans l'évolution de nos moyens techniques. La domestication de l'environnement et le contrôle des moyens de communication constituent une part importante des changements qui entraînent le plus de répercussion dans nos modes de vie actuels. Dans un tel contexte, la production artificielle de la lumière, qui est maintenant chose courante et qui a connu des raffinements notables au cours des dernières décennies, apparaît comme un facteur déterminant dans la modification de notre environnement visuel. Telle que nous l'utilisons aujourd'hui, la lumière artificielle influe considérablement sur notre perception de l'espace et des choses. D'une part, elle change une certaine texture de notre quotidien et, d'autre part, elle transforme jusqu'à un certain point notre appréhension du réel.

Il peut sembler banal de dire que la lumière artificielle modifie sensiblement l'apparence du réel. D'aucuns peuvent rétorquer en effet qu'un tel constat ne date pas de maintenant et qu'à la limite, les modulations de la lumière naturelle (celles d'un coucher de soleil par exemple) ont un impact en principe équivalent sur le spectacle des choses. Vu sous cet angle, que la lumière soit naturelle ou artificielle, sa fonction purement médiatrice dans notre vision du monde extérieur reste, évidemment, la même. Et pourtant, il arrive par moments que la lumière altère à un point tel l'aspect extérieur des choses que, de concrètes, celles-ci semblent glisser vers les limites de leur vraisemblance.

Cette sorte de travestissement des choses par la lumière advient en fait quotidiennement dans le décor urbain. Dans les grandes villes en particulier, il arrive que la nuit, la surface extérieure de ce qui nous entoure paraisse littéralement contaminée par la lumière colorée. Quiconque s'est trouvé le soir au coeur de Times Square a connu cette impression de se

The exhibition LIGHT: PERCEPTION-PROJECTION is taking place at a time in history when we have reached a high degree of sophistication in the evolution of technical capabilities. The domestication of the environment and control over the means of communication constitute important changes, with attendant repercussions for our actual way of life. An ongoing concern, and one which has seen major refinements in recent decades, the artificial production of light would seem in this context to be a determining factor in the modification of our visual environment. Artificial light, as it is used today, has a considerable influence on how we perceive space and objects. It alters at once the texture of our daily lives and, to a certain extent, our grasp of reality.

It may sound banal to say that artificial light noticeably modifies the appearance of reality. One could say that this claim is not new and that, finally, natural modulations of light (a sunset, for example) have, in principle, an equal impact on how things seem. From this perspective, the purely mediating function of light on how we see the outside world remains the same whether it is of natural or artificial origin. And yet it happens that light so alters the exterior aspect of concrete objects as to make them appear implausible.

In our urban environment, light effects this sort of misrepresentation of objects on a daily basis. Particularly in large cities at night, the exterior surface of what surrounds us appears to be literally contaminated by coloured light. Anyone who has been in the heart of Times Square knows what it's like to move around in a counterfeit environment. At night, over the entire circumference of the Square, a red, yellow, too green, or too white film emanates from the exuberant pulse of neon, combining with the continual din and bustle of the crowds.

mouvoir dans un environnement complètement factice. Au tapage continuel et à l'agitation de la foule s'ajoute, la nuit, sur l'ensemble du square, cette pellicule rouge, jaune, trop verte ou trop blanche qui provient du scintillement exubérant des néons. Au milieu d'un environnement à ce point saturé de lumière, nous portons un regard fasciné sur le spectacle d'un réel qui nous semble travesti, dénaturant, factice. Comme si à nos yeux, ce réel pouvait revêtir deux peaux: sa peau de jour, littérale, vraisemblable, réelle en quelque sorte, et sa peau de nuit, déguisée, une peau fausse, une simili-peau. Comme si de sa fonction habituelle d'éclairage, la lumière se livrait ici à une véritable contamination de l'environnement. Or, aussi étrange que cela puisse paraître, il semble qu'un lieu comme Times Square n'est lui-même (comme on dit de quelqu'un "c'est bien lui", "comme c'est elle") que lorsqu'ainsi contaminé par la lumière artificielle. Dans ce cas précis, la lumière artificielle ne fait qu'exacerber l'artificialité déjà manifeste du lieu: la lumière anime par contagion la dimension déjà factice du décor urbain.

L'influence de la lumière sur l'aspect extérieur des choses équivaut à une action par contagion. En effet, lorsque la lumière agit sur une surface visible, en aucun cas cette action ne provoque une transformation: l'objet touché demeure substantiellement le même. On ne peut dire non plus que la lumière voile, recouvre ou masque l'objet: la lumière dans les faits n'éclipse pas l'objet. Et pourtant, nous avons bien le sentiment que l'objet acquiert une autre peau et qu'il paraît même parfois se détacher sur le fond tangible des choses. Effectivement, le mode d'apparition de l'objet a changé: du point de vue de notre vision physiologique, il a gagné en attraction; du point de vue de notre perception, il a gagné en présence.

L'aspect visible des objets n'est un aspect possible de ceux-ci que grâce à la lumière qu'ils interceptent et nous renvoient; c'est la projection continue et impalpable de la lu-

In an environment at this point saturated with light, we look at this spectacle, awestruck at this reality that seems to be burlesque, artificial and distorted. It is as if this reality could assume two skins: its daytime skin, which is literal, convincing, and, in a way, 'real,' and the one it wears at night, which is a false, imitation skin, its disguise, as if along with its usual function of lighting, light here indulged in defiling the environment. Strange as it may seem, it can be said of a site like Times Square that it is not 'itself' unless it is sullied with artificial light. And in this case, light merely exacerbates the already evident artificiality of the site. With its contagion, it animates the admittedly counterfeit dimension of the urban setting.

Light's influence on the outward appearance of objects is comparable to the effects of infection. When light acts on a visible surface, its action in no way effects a transformation; the affected object remains substantially the same. Light also cannot be said to veil, cover, or mask the object, nor does it eclipse it. Yet we are all well aware of the new coating the object has acquired and how it appears, at times, to emerge from the background. Its manner of appearance has changed; in terms of physiological vision, its attraction is heightened, while in terms of our perception it has an increased presence.

The visible appearance of an object is only possible due to the light it intercepts and reflects; it is the continual and impalpable projection of light that causes objects to materialize, and that brings us to see in a particular way. When the perceptible quantity of light becomes conspicuous, the expected aspect of the object is evident to our gaze; it attracts the eye more, and is suddenly more present. In this case, it is not the strictly visible aspect of an object which is affected, but its appearance, which seems to have split in two.

mière qui fait que les objets nous apparaissent et que nous les voyons de telle ou telle manière. Lorsque la qualité sensible de la lumière se singularise, l'aspect attendu de l'objet est à nos yeux touché: l'objet devient plus attractif, soudainement plus présent. Dans ce cas, ce n'est pas que l'aspect proprement visible de l'objet qui est touché; c'est son apparence qui à nos yeux vient de se dédoubler.

LA LUMIÈRE

Les sources de lumière, ou corps incandescents, sont des foyers de radiations qui stimulent notre oeil. Nombre de traités d'optique et de recherches en psycho-physiologie ont démontré le rôle primordial de la lumière sur notre appareil sensoriel et notre appréhension synergique de l'espace. L'histoire de l'art, de son côté, nous a légué des recueils d'observations magnifiques sur l'importance de la lumière dans l'apparition des formes et des couleurs. Dès le XVe siècle, Léonard de Vinci s'appliqua à observer l'action de la lumière sur les choses et tenta d'élucider le principe du pouvoir attractif des corps lumineux sur la vision. Selon lui, voir un corps lumineux et voir un corps solide éclairé par la lumière relevaient de deux formes différentes d'attention. Face au corps lumineux, nous n'observons rien qui nous en révèle la texture, le volume, ni même le contour. Ce qui nous attire, c'est un certain éclat. Si la source est éloignée, nous voyons un point lumineux, si elle est proche, elle semble s'épancher dans l'espace qui l'entoure. Dans les deux cas, des "rayons" en émanent, se propagent "en ligne droite" dans l'espace, heurtent les choses, impressionnent finalement notre oeil[1].

Dans le domaine naissant de la recherche expérimentale, les contemporains de Léonard en étaient aux débuts de leurs débats les plus chauds quant à la nature et aux propriétés de la lumière. L'immatérialité du phénomène avait

LIGHT

Light sources or incandescent substances are the focus of radiations that stimulate the eye. Numerous treatises on optics and on physio-psychology have demonstrated how light has a primordial function on our sensory apparatus and how it affects our understanding of the synergy of space. From art history we have inherited volumes of magnificent observations on the importance of light in the appearance of form and colour. In the 15th century, Leonardo da Vinci began observing the action of light on objects and attempted to explain the principle of the power of luminous bodies to attract vision. According to him, seeing a luminous substance and seeing a solid object that is lit were the results of two different types of attention. Observing a luminous substance, we know nothing of its texture and volume, or even its contours. What attracts us is its brilliance. If the source is at a distance, we see a luminous speck; when seen close up, it seems to expand into the space surrounding it. In both instances, the emanating rays branch off in straight lines through space, colliding with objects before they finally make their imprint on the eye.[1]

[1] Léonard de Vinci, *Carnets*, tomes I et II, Paris, Gallimard, 1942 (traduction de l'italien par Louise Servicen).

fait de celui-ci une réalité jusque-là énigmatique: pour certains peuples de l'Antiquité, la lumière avait été la manifestation des pouvoirs du soleil ou du feu, pour d'autres, un phénomène issu de la vision et de l'esprit[2]. Devant le phénomène désormais considéré comme participant de la structure physique de l'univers, la question majeure fut de savoir si la lumière était de nature cinétique (ondulatoire) ou corpusculaire. Ces débats qui suivirent une route on ne peut plus sinueuse aboutirent à une interprétation de la lumière qui concilia en quelque sorte particules, énergie et mouvement ondulatoire[3]. Disons sommairement que les sources lumineuses émettent des particules de lumières ou photons qui parcourent la distance jusqu'à notre oeil à une vitesse qui équivaut à 300 000 km / sec. Les photons voyagent sous la forme de radiations dont les longueurs d'ondes varient proportionnellement à l'énergie qu'elles véhiculent. Aux ondes lumineuses bleues, par exemple, correspondent des photons d'une certaine énergie, aux ondes jaunes et rouges, plus longues, correspondent d'autres niveaux d'énergie. La lumière que nous voyons correspond à un groupe restreint de longueurs d'ondes; au-delà ou en-deçà de ces longueurs d'ondes, elles sortent du domaine du visible.

> Lorsque la lumière frappe une atmosphère terrestre claire et propre, elle est diffusée. Les photons heurtent les molécules de l'atmosphère terrestre et rebondissent. Il se peut que beaucoup de telles collisions se produisent. Mais comme les molécules d'air sont beaucoup plus petites que la longueur d'onde de la lumière, les courtes longueurs d'ondes rebondissent et sont dispersées par les molécules d'air plus sûrement que les longues. La lumière bleue est beaucoup mieux dispersée que la lumière

Experimental research in this field was still in the early stages when da Vinci's contemporaries began their heated debates as to the nature and properties of light. Until then, the immaterial nature of the phenomenon had made its reality enigmatic; for certain peoples of Antiquity, light was a manifestation of the power of the sun or of fire, and for others it was a phenomenon issuing from vision or from the spirit.[2] The major question in the face of this phenomenon, currently considered as being part of the physical structure of the universe, was whether light was of a kinetic (undulatory) or corpuscular nature. The rather tortuous, meandering discourses that followed arrived at an interpretation of light that, in a sense, included particles, energy, and undulatory movements.[3]

Let us say, summarily, that light sources emit particles of light, or photons, that negotiate the distance to the eye at a speed of 300,000 km per second. These photons travel in the form of radiations whose wavelengths vary in proportion to the energy that they carry. The blue wavelengths, for example, have corresponding photons with a certain energy, while the longer yellow and red wavelengths have other corresponding levels of energy. The light we can see corresponds to a more limited group of wavelengths; on either side of these wavelengths, light is, literally, out of sight.

> *When sunlight strikes the clear, dust-free atmosphere of the Earth, it is scattered. Photons strike the molecules of the Earth's atmosphere and are bounced off. Many such bounces may occur. But because the molecules of air are very much smaller than the wavelength of light, it turns out that short wavelengths are scattered or bounced away by the air molecules more efficiently than long wavelengths. Blue light is scattered much better than red light. . . . It is why we talk of purple mountains; it is why the sky is*

[2]   Voir entre autres: Mugler, Charles, *Dictionnaire historique de la terminologie optique des Grecs–Douze siècles de dialogues avec la lumière*, Paris, Librairie Klincksieck, 1964; et Ronchi, V., *Histoire de la lumière*, Paris, Masson, 1956.
[3]   Voir Einstein, Albert et Infeld, Léopold, *L'évolution des idées en physique*, Paris, Payot, 1974; et Maitte, Bernard, *La lumière*, Paris, Seuil, 1981.

[3]   See Einstein, Albert, and Infeld, Léopold, *The Evolution of Physics: From early concepts to relativity and quanta*, New York, Simon and Schuster, 1960.

rouge. [. . .] Voilà pourquoi nous voyons les montagnes violettes, et pourquoi le ciel est bleu. La lumière solaire est ainsi dispersée dans l'atmosphère terrestre. Une partie de la lumière dispersée s'échappe, mais une autre partie, diffusée une première fois, est renvoyée vers nos regards sous l'effet de phénomènes de diffusion secondaire. Lorsqu'il n'y a pas d'atmosphère, comme c'est le cas sur la lune, le ciel est noir. Lorsque nous observons un coucher de soleil, la lumière fait un plus long chemin dans l'atmosphère terrestre que lorsque le soleil nous frappe à midi. Le long de ce chemin, la lumière bleue a été préférentiellement dispersée, de sorte que seule la lumière rouge atteint nos yeux[4].

La lumière, que nous qualifions de belle ou de fade, dépend en fait du milieu qu'elle perturbe et qui la disperse. Si l'aspect visible des objets n'est un aspect possible de ceux-ci que par la lumière qu'ils nous renvoient, la lumière, elle, pour être perceptible, dépend de sa dispersion dans l'atmosphère et de son contact avec les objets.

L'utilisation la plus courante de la lumière tente de reproduire cette dispersion naturelle venant du soleil. Lorsque nous convenons d'une fonction médiatrice de la lumière dans notre accès aux choses par la vision, nous nous référons à l'impact visible du phénomène sur l'environnement. Lorsqu'en revanche nous parlons d'une action par contagion de la lumière sur les choses, nous évoquons plutôt la modification qualitative qui émane de leur amalgame particulier. Dès lors, c'est de l'action de percevoir qu'il s'agit, et de la participation imaginaire enclenchée dans notre appréhension des choses.

Ne considérer que l'impact du phénomène physique de la lumière sur notre système neuro-sensoriel, c'est oublier que notre perception visuelle participe de notre expérience du monde[5]. Selon une interprétation physiolo-

blue. The light from the sun is scattered about in our atmosphere—some of it being scattered up and out again, but other fractions of sunlight being scattered about by the molecules of our atmosphere and then, from quite a different direction than that of the sun, scattered back down to our eyeballs. In the absence of an atmosphere, as on the moon, the sky is black. When we look at a sunset we are seeing the sun through a longer path in the Earth's atmosphere than when we view it at noon. Blue light has been preferentially scattered out of this path, leaving only the red light to strike our eyes.[4]

Whether we regard it as beautiful or dull, light depends on the environment it both affects and is dispersed in. If the visible appearance of objects is only made possible by the light they reflect, then both its dispersal in the atmosphere and its contact with objects are necessary for it to be perceptible.

The most common use of light consists of reproducing the natural dispersal of light originating from the sun. When we acknowledge light's mediating role in permitting our access to objects by vision, we are referring to the visible impact of the phenomenon on the environment. If, on the contrary, we speak of a contagious action of light on objects, we are evoking the qualitative modification from which their particular amalgam proceeds. Consequently, it is a question of the act of perception, of the requisite participation of the imagination in our understanding of things.

To only consider how the impact of the physical phenomenon of light affects our neuro-sensorial system is to forget that visual perception participates in our experience of the world.[5] According to a physiological interpretation of vision, the particular presence of objects bathed in light, my hands coloured a luminous blue for instance, is translated in the form of stimuli reaching the nervous system

4   Carl Sagan, *Cosmic Connection ou l'appel des étoiles*, Paris, Seuil, 1975, pp. 117-118.
5   Maurice Merleau-Ponty, *Phénoménologie de la perception*, Paris, Gallimard, 1945.

4   Carl Sagan, *Cosmic Connection: An Extraterrestrial Perspective*, New York, Anchor Press, Doubleday, 1973, p. 90.
5   Maurice Merleau-Ponty, *Phenomenology of Perception*, translation Colin Smith, London, Routledge and Kegan Paul, 1962.

gique de la vision, la présence particulière d'objets touchés par la lumière, par exemple, mes mains devenues lumineuse-bleues, se traduit en termes de stimuli parvenant par la rétine au système nerveux, stimuli immédiatement interprétés par le cerveau. Or, la vision d'un objet, c'est aussi une certaine *tendance* vers l'objet, une intention qui vise l'objet, et qui n'est pas indépendante d'une mémoire corporelle de l'espace et des choses[6].

PRÉSENCE ET APPARENCE

Ainsi, mes mains sont devenues lumineuses-bleues. Ce sont mes mains de tout à l'heure, où se profilent les mêmes rides, jointures, ongles. Mais soudainement, elles ont gagné en présence. Elles n'ont pourtant qu'éphémèrement changé de couleur (elles ne seront pas désormais bleues, comme si je les avais teintes ou peintes). L'action ici contagieuse de la lumière n'a pas réellement changé le mode d'existence de mes mains. Elle a ajouté à mes mains un mode d'apparition que je ne leur connaissais pas.

L'action de la lumière sur les choses incite, dans un cas comme celui-ci, à une duplicité du regard sur elles. À mes yeux, l'action contagieuse de la lumière confère à mes mains une double présence simultanée: une présence de pure apparence contaminant leur présence de mains concrètes. En regardant mes mains devenues bleues, je ne me trouve pas devant un double ou une image de mes mains. Mais je suis devant elles, en position de les percevoir pour ce qu'elles sont et de les voir *images*[7].

L'infiltration progressive de la lumière artificielle dans nos vies ne fait pas qu'enjoliver ou pragmatiser le profil de nos décors; elle nous a introduit à une texture sensiblement différente de l'environnement. Cette différence de texture nous incite conséquemment à une appréhension de l'espace et des choses relativement fluctuante. Dans un paysage de plus

by way of the retina, and is immediately interpreted by the brain. Now, to visualize an object entails a certain tendency toward that object, an intention that targets it, that does not function independently of corporeal memory of space and objects.[6]

PRESENCE AND APPEARANCE

So my hands have become a luminous blue. They are still the same as they were, bearing the same wrinkles, joints, and nails. But suddenly they have gained a presence. After all, they have only ephemerally changed colour (they won't remain blue as if I had stained or painted them). The contagious action of light has not really changed their state of being; light added a mode of appearance of which I had no knowledge.

In this case, the action of light on my hands incites a duplicity of the gaze. To my eye, the contagious action of light confers on my hands a simultaneous double presence, a presence of pure appearance contaminating the presence of tangible hands. Looking at my hands that have become blue, I am not faced with a facsimile or an image of my hands. But I am in a position to see them for what they are at the same time as I perceive them as image.[7]

The progressive infiltration of artificial light into our lives not only adorns or pragmatizes our surroundings; it introduces us to a considerably different texture of the environment. This difference in texture consequently incites an apprehension of space and relatively fluctuating objects. In a landscape increasingly animated by artificial light, we come to expect a reality punctuated with its duality, and to consciously utilize the effects of these dualities.

In the urban environment, artificial light is used for its power to attract and for its immediate effect on us. From traffic lights to the various forms of neon advertisements, light is, to a certain extent, exploited to signal and to redirect our course. However, to the one conditioned response that green and red lights

[6] Maurice Merleau-Ponty, *L'Oeil et l'esprit*, Paris, Gallimard, 1964.
[7] Jean-Paul Sartre, *L'imaginaire*, Paris, Gallimard, 1940.

en plus activé par la lumière artificielle, nous finissons par nous attendre à un réel ainsi ponctué de ses propres dédoublements, et nous en venons même à utiliser sciemment les effets de tels dédoublements.

La lumière artificielle dans l'environnement urbain est utilisée pour son pouvoir d'attraction et l'effet immédiat qu'il produit sur nous. Depuis les feux de circulation jusqu'aux formes multiples des néons-réclames, la lumière est en quelque sorte exploitée pour baliser ou infléchir nos parcours. Toutefois, à la réponse conditionnée que provoquent les feux verts, rouges et autres signaux, se conjugue une forme de réponse au paysage animé par la lumière qui est davantage de l'ordre de la fascination. Le paysage de nuit, en particulier, peut pousser jusqu'au charme notre attrait immédiat pour la lumière. Devant les apparitions soudaines et intermittentes des réclames lumineuses qui jalonnent les autoroutes (H/MOTEL), nous sommes parfois pris du même plaisir fugitif que celui qu'attisent les apparitions éphémères. Et bien que ces réclames égalent difficilement le surgissement inattendu et magique des arcs-en-ciel par exemple, il est peu de ces lumières de nuit qui ne possèdent minimalement ce pouvoir d'attraction.

L'obscurité, évidemment, avive par contraste l'éclat de la lumière. Mais outre ce contraste de clair-obscur, le noir complet permet à l'objet lumineux de s'abstraire de l'espace concret. L'objet lumineux qui se détache d'un fond visiblement absent suscite un changement topologique pour nous. L'obscurité ayant escamoté nombre de nos repères, notre regard se porte vers les rares apparitions de ces zones lumineuses. Face à l'enseigne clignotante ainsi isolée dans l'espace (à la fois plus près de moi et distante), le réel que je perçois est un réel, somme toute, au seuil de son mode concret d'existence, entre la constance que je lui connais et la précarité actuelle de son apparition. Un espace ainsi activé par la lumière dans l'obscurité comporte toujour, de par son immatérialité apparente,

and other signals provoke is conjugated a form of response to surroundings animated by light, that is more in the order of fascination. The night landscape, in particular, can stimulate our attraction to light to the point where we become spellbound. Coming upon sudden and intermittent apparitions of flashing signs along autoroutes (H/MOTEL), we are at times subject to the same fleeting delights these ephemeral visions conjure up. Even if it is difficult for these signs to compete with the unexpected and magical looming of a rainbow, there are few of these night lights that don't possess, at least minimally, the power to attract.

Shadow, by contrast, clearly enhances the brightness of light. But apart from the contrast of chiaroscuro, complete darkness allows the luminous object to abstract itself from actual space. The luminous object is separate from the visibly absent background, thus creating a topological change. Darkness having erased many landmarks, our gaze is drawn to the occasional luminous zones. With the flashing sign thus isolated in space (at once close-up and distant), the reality that I perceive is on the edge of its concrete mode of being, somewhere between the constancy that I attribute to it and the precarious nature of its actual appearance. By its apparent immateriality, a dark space that is activated by light always entails a capacity for evanescence.

un potentiel d'évanescence.

Ce qui a changé dans notre environnement actuel, ce n'est pas tant cette précarité de l'espace dans l'obscurité ni l'attraction ou l'évanescence des apparitions lumineuses. Ce qui change, c'est notre possibilité accrue d'animer artificiellement l'espace de telles apparitions. Ce qui change aussi, c'est la connaissance que nous avons de ces phénomènes immatériels et la conscience des illusions qu'ils engendrent. Nous savons depuis longtemps que l'arc-en-ciel n'est pas une manifestation magique. Nous savons encore davantage que l'apparition de l'enseigne H/MOTEL n'est pas de l'ordre du surnaturel. Et pourtant, c'est ce jeu entre le savoir et l'étonnement qui avive notre plaisir. C'est cette perception toujours en porte-à-faux entre la conscience du monde tangible et son passage à l'illusion qui renouvelle sans cesse notre fascination pour la lumière.

L'IMAGE LUMINEUSE

Remarquons que depuis le siècle dernier, nous avons développé des façons de capter et d'émettre des images par le contrôle de la propagation de la lumière dans des systèmes optiques ou électroniques. L'usage de la *camera obscura*, que l'invention de la photographie a rendu plus complexe, a non seulement introduit une manière de capter des images du réel mais également certaines manières de le reproduire. Remarquons de plus que le développement des dispositifs de projection et d'émission d'images par la lumière a aussi créé de nouvelles habitudes perceptuelles. Écrans de cinéma et écrans de télévision sont des surfaces activées par projection ou bombardement de lumière. Sur ces écrans s'animent des images du réel, mais aussi des mondes schématiques ou fantastiques auxquels le regard adhère spontanément. De médiatrice / contaminatrice du réel, la lumière devient captatrice / émettrice d'images du réel. Quelque fonction qu'elle revête toutefois, la lumière semble toujours demeurer, de par son

It is not so much the precariousness of the darkened space nor the attraction of evanescence of luminous apparitions that have changed in our actual environment. What is different is our increased capacity to artificially activate the space around these apparitions. What is different also is the knowledge we have of these immaterial phenomena, and the awareness of their engendered illusions. We have known for a long time that a rainbow is not a magical revelation, and even more that a flashing H/MOTEL sign is not of a supernatural order. And yet it is the interplay between knowledge and astonishment that is exciting. It is this perception always in an unstable equilibrium between consciousness of the tangible world and its passage to illusion that continues to renew our fascination with light.

THE LUMINOUS IMAGE

During the last century we have developed numerous ways in which to capture and project images through the dissemination of light in optical or electronic systems. The use of the camera obscura, rendered more complex with the invention of photography, not only introduced a new method of capturing images of reality, but brought about new ways to reproduce it. The development of devices using light to project and transmit images has also generated new perceptual habits. Film and television screens are surfaces that are activated by the projection or inundation of

apparence immatérielle, le déclencheur d'un regard fasciné entre la présence indéniable du réel qu'elle anime et son évanescence toute proche de l'apparition.

La beauté des images captées par le biais de dispositifs sensibles à la lumière, puis émises par projection ou bombardement de lumière, ne se résume certes pas au magnétisme des images lumineuses dans l'espace. Cette beauté relève, pour une grande part, d'une théorie de l'image qui a maintenant cours et où la complexité de la photographie semble inépuisable, tant elle comporte de lectures sur les plans anthropologique, sociologique, sémiologique et esthétique.

Concentrons-nous toutefois sur les modes d'émission et de perception de ces images lorsqu'elles apparaissent sur des écrans lumineux. Le dispositif le plus simple est celui de la projection d'une diapositive. Lorsque nous projetons une diapositive au mur, nous circonscrivons une surface partielle de ce mur, là où paraît l'image. Si nous avions en main cette image imprimée, sa présence ne serait plus la même. Ainsi lumineuse, l'image s'anime et semble par contagion animer la matité plate du mur.

Que nous ayons devant les yeux la projection d'une gélatine rouge ou celle d'un paysage, la présence du mur concret se résorbe et le regard se projette sur la surface lumineuse, puis en elle. Plus grande sera l'obscurité ambiante, plus hypnotique sera la projection. Dans ses observations sur le cinéma, Edgar Morin note qu'à la reproduction photographique et à la reproduction du mouvement, se combinent les conditions physiques de la projection lumineuse et de l'environnement sonore qui sont des conditions favorables à la participation des spectateurs:

> En se construisant lui-même, notamment en construisant ses propres salles, le cinéma a amplifié certains caractères paraoniriques favorables aux projections-identifications. L'obscurité était un élément, non nécessaire (on le voit lors

light. The gaze spontaneously adheres to these schematic or fantastic worlds, these images of reality flashing on screens. Besides its role as mediator / contaminator of reality, light assumes that of capturing and transmitting pictures of the real. By its immaterial appearance and in all of its guises, light remains a release mechanism for the fascinated gaze, mediating between the undeniable presence of the reality it activates and its own apparitional evanescence.

The beauty of images captured using devices sensitive to light and transmitted by its projection is not only attributable to the magnetism of luminous images floating in space. This notion of beauty derives mostly from a current theory of the image where the complexity of a photograph contains so many references to anthropology, sociology, semiotics, and aesthetics as to seem inexhaustible.

Let us concentrate on the means of transmission and perception of these images as they appear on a bright screen. The most simple mechanism of projection is the slide projection. When a slide is projected onto a wall, the portion of the wall surface where the image appears is circumscribed. If we had the actual slide in hand, its presence would not be the same. Once lit, the image thus activates, as if by contagion, the flat surface of the wall; whether what is shown is a gelatinous red or a landscape, the presence of the actual wall recedes and the gaze is projected onto the luminous surface, then into it. The more ambient the shadows, the more hypnotic the projection. In his observations on film, Edgar Morin notes that along with photographic reproduction and the reproduction of movement, the physical conditions of the projection of light and of the surrounding sound are also essential for the participation of spectators:

> The film industry, by conducting its own development, and especially by building its own halls, has amplified certain para-oneiric characteristics favourable to projections / identifications.

31

des projections publicitaires d'entr'acte) mais tonique, à la participation. L'obscurité fut organisée, isolant le spectateur, "l'empaquetant de noir" comme dit Epstein, dissolvant les résistances diurnes et accentuant toutes les fascinations de l'ombre[8].

L'obscurité est une condition favorable à la participation subjective. L'absence également de tout élément proprement concret sur la surface regardée élimine toute interférence d'une présence matérielle dans l'immatérialité de la projection. Si je décidais, par exemple, de centrer ma main au milieu de la projection de la gélatine rouge, je demeurerais en surface de cette projection, captivée par la présence curieuse de cette main rouge. Que j'éloigne cette main du mur en la gardant dans le faisceau de lumière, l'écran rouge s'animerait maintenant de son ombre. J'entrerais d'emblée dans ce double, dans l'image.

Dans les théâtres d'ombres où l'image n'est pas photographique, où le mouvement est des plus rudimentaires, l'écran lumineux s'anime d'images aux formes extrêmement schématiques et dépourvues de détails. Ces quasi-présences nous interdisent en quelque sorte de les regarder objectivement. Si nous le faisions, nous ne verrions que des taches sombres bouger sur un fond clair. Nous devons au contraire compléter ces formes schématiques, leur attribuer des traits, leur projeter une âme. À l'obscurité ambiante, où l'environnement concret s'évanouit, se joint la présence immatérielle et schématique des ombres et lumières qui exigent de nous une participation imaginaire. Isolé(e)s dans l'obscurité, nous sommes pour un temps en état d'appréhension imageante des ombres et de la lumière. Et plus l'écran comporte de ces présences schématiques et immatérielles, plus l'exercice de l'illusion se met en branle.

Lorsque nous sommes devant la diapositive projetée d'un paysage, l'image qui nous par-

8 Edgar Morin, *Le cinéma ou l'homme imaginaire*, Paris, Éditions de Minuit, 1956, p. 102.

32

Darkness was an unnecessary element (as evidenced by the projections of advertisements during the intermission) but it stimulated participation. It was an organized darkness, "a package of black" as Epstein called it, isolating the spectator, that dissolved diurnal resistance and accentuated the fascination for shadow.[8]

Darkness is a condition that is favourable to subjective participation. The absence of any actually concrete element on the visible screen eliminates any interference that a material presence would have on the immaterial projection. If I were to place my hand in the middle of a gelatinous red projection, for example, I would remain on the surface of this projection, captivated by the curious presence of this red hand. By moving my hand away from the wall, remaining within the beam of light, its shadow would be projected on the red screen. I would then instantly enter the picture in a dual sense.

In a shadow theatre, where the image is not photographic, where movement is at its most rudimentary, the bright screen is alive with images whose forms are extremely schematic and void of detail. These quasi-presences prohibit us, in a sense, from watching them objectively. If we did, we would see only dark shapes moving on a lit background. So we have to flesh out these schematic shapes, give them traits and attributes, and project a certain spirit into them. The outlined and immaterial presence of shadows and light combine with the surrounding darkness, where our actual environment vanishes, and demand of us an imaginative suspension of disbelief. Isolated in darkness, we enter a state of apprehension, imaging shadow and light. The more these immaterial and outlined shapes perform on the screen, the more effective this exercise in illusion becomes. When we are confronted by the slide projection of a landscape, the image we see is no more material than was that of my hand a while ago. The im-

vient n'a pas plus de matérialité que n'en avait l'ombre de ma main tout à l'heure. Et bien que l'immatérialité de la projection nous renvoie à l'image d'un monde concret, le magnétisme reste du même ordre. Ce qui caractérise la projection, c'est sa manière d'immiscer cette photographie dans notre espace concret, d'abstraire cette image de l'espace concret et, finalement, de nous abstraire nous-mêmes de l'espace.

Les images projetées, étonnamment, lorsque trop longuement données à l'observation, lorsque trop statiques, trop frontales, perdent leur magnétisme. Ceci vient, en partie, de notre habitude à voir bouger les images sur écran, à voir le montage se rythmer, la caméra se déplacer. Mais ceci vient également d'une raison plus simple. La surface lumineuse, pour nous séduire, doit demeurer minimalement évanescente. L'image projetée doit pouvoir changer, quitte à disparaître par intermittence et à réapparaître, comme les enseignes clignotantes, comme les signaux lumineux, comme les arcs-en-ciel. Pour préserver leur pouvoir hypnotique, l'objet lumineux et l'image lumineuse doivent demeurer fugitifs; ils doivent réaffirmer leur éclat, réaffirmer leur immatérialité, réaffirmer leur pouvoir contagieux sur l'espace. Les ombres des feuilles dans mes fenêtres, la nuit, ne requièrent qu'une brève secousse pour me saisir à nouveau de leur présence troublante. Elles étaient sur le point de perdre leur âme, de perdre leur présence pour ne redevenir que des taches sur la vitre; cette simple secousse m'a replongée en elles.

L'image lumineuse, la source lumineuse n'ont pas à être observées en détails. Elles doivent conserver leur présence ambivalente, garder au moins potentiellement le privilège de s'évanouir et s'abstenir enfin de trop nous acclimater à l'espace environnant. Rendre statique au maximum l'image lumineuse, éliminer le contraste entre son éclat et l'obscurité, c'est déjà évincer l'exercice de la fascination et par conséquent mettre en déroute les mé-

age remains as compelling, even if the immaterial nature of the projection recalls a concrete world. What characterizes the projection is its way of interposing the photograph into our physical space, abstracting the image from that space and, finally, abstracting us from that space.

Surprisingly, projected images, when observed for too long, when too static and frontal, lose their magnetism. This comes about, in part, because we have become accustomed to seeing images moving on a screen, at a certain rhythm of editing, and from different camera angles. But there is another simple reason. In order to keep our attention, the surface of the screen must remain at least minimally evanescent. The projected image must be free to change, to even intermittently disappear and reappear, like flashing signs, traffic lights, and rainbows. In order to maintain their hypnotic power, the luminous object and image must remain fleeting; they must reaffirm their brilliance and their immateriality, as well as their contagious effect on space. The sudden brush of shadows of leaves at my window at night is all that is needed to remind me of their troubling presence. They were on the verge of losing their spirit and their presence, of becoming just a blotch on the window pane, but that jolt draws me back to them.

The luminous image and its light source do not have to be observed in detail. They must retain their ambivalent presence, or at least their ability to vanish and be absent, in order to prevent us from becoming too familiar with the surrounding space. By rendering the luminous image static, by eliminating the contrast between its brilliance and the surrounding darkness, one supplants the exercise of spellbinding, thereby undoing the mechanisms of illusions. The most unfavourable situation in which to transmit an image is onto a continually lit screen. However, by breaking this spell, it is not supplanted. We must acknowledge that, in reality, it is not so much total magic we want as the possibility of seeing the

canismes de l'illusion. Or, l'omniprésence des écrans lumineux, les conditions les plus défavorables à la transmission de leurs images, en somme tout ce qui constitue à briser l'exercice de la fascination ne l'évince pourtant pas. Aussi faut-il convenir qu'en réalité, ce n'est pas tant une magie totale que nous cherchons, mais la possibilité de voir le monde apparaître et réapparaître par la voie d'un regard à la fois objectif et fasciné. En ce sens, la puissance de l'écran lumineux est de nous imprégner d'un monde immatériel tout en nous gardant au seuil d'un espace objectif.

De la projection à l'écran télévisuel, les fonctions médiatrice / contaminatrice / émettrice de la lumière s'entrelacent pour transposer dans le réel des apparences et des apparences du réel. Ce qui est remarquable aujourd'hui n'est pas tant la nouveauté des dispositifs propices à l'illusion. Ce qui est remarquable, c'est d'une part la prolifération de tels dispositifs et la complexité grandissante des images qu'ils véhiculent. D'autre part, c'est la grande souplesse du regard que nous portons à ces images, regard conscient de l'artificialité du spectacle comme tel, regard coïncidant avec une vision fascinée par l'avènement de l'image lumineuse. S'il est une aventure du regard devant ces mondes, il semble qu'elle se tienne là, dans la manière de la lumière de s'immiscer partout dans le réel, et d'immiscer le réel partout dans les images.

world appear and disappear, through a gaze at once objective and spellbound. In this sense, the power of the luminous screen is to immerse us in an immaterial world, while allowing us a certain measure of objectivity.

On the television screen, the mediating/ contaminating, captivating / transmitting capabilities of light are interwoven in transposing the reality of appearance and the appearance of reality. It is not the innovative devices capable of transmitting illusion that are remarkable, but the proliferation of these devices and the increasing complexity of the images they transmit. Equally remarkable is the flexibility of the gaze we bring to these images. It is a gaze that is conscious of the artificiality of any given spectacle, but one that is nonetheless spellbound by the advent of the luminous image. If the gaze is to venture into these realms, it should be here, where light interferes with reality and where reality interferes with images.

Translated by ROBERT McGEE

LE JOUR SE LÈVE
LA LUMIÈRE PARAÎT
OUVRONS L'OEIL

DAY DAWNS
LIGHT APPEARS
LET US OPEN OUR EYES

Luc Courchesne artiste

Georges de La Tour, *L'Adoration des bergers*, 107 x 137 cm.

La lumière nous met au monde, elle nous baptise et nous confirme, elle nous trahit et nous tue. Le moins qu'on puisse dire, c'est que la lumière nous atteint profondément. "Au commencement la terre était sans forme et vide; et les ténèbres couvraient l'abîme." Quelle horreur! Vivement donc et sans plus attendre, "que la lumière soit!"

We are born into light, initiated and confirmed by it, and, in the end, betrayed and killed by light. The least that can be said about light is that we are profoundly affected by it. "In the beginning, the earth was without form or substance, and the shadows covered the abyss." Surely an awful prospect, and so "Let there be light!"

35

Nous sommes une espèce diurne, c'est-à-dire que nous fonctionnons—physiquement et mentalement—dans l'espace défini par la lumière. Dans la nature, être stimulé par la lumière semble être le propre de toute vie. Sans lumière, pas d'amibes ni de micro-organismes dans l'océan initial, pas d'algues ni de plantes non plus; pas d'oxygène ni d'atmosphère, ni de poissons, ni de reptiles, ni de mammifères; et certainement pas l'ombre d'une philosophie, d'une science ou d'un art.

La photosynthèse occupe une grande place dans la vie des espèces. Les plantes se tournent vers la lumière, l'absorbent et produisent de l'oxygène; c'est encore la lumière qui orchestre leur floraison et la chute des feuilles. D'autres organismes plus complexes et dotés de systèmes nerveux ont des taches oculaires leur permettant de percevoir la lumière: ils s'orientent par rapport à elle, rythment leur développement sur elle. Chez les espèces plus développées qui doivent interpréter l'espace pour assurer leur survie, ces taches oculaires sont devenues des yeux capables de récolter l'empreinte infiniment détaillée de la lumière et de la traduire en un monde multi-dimensionnel, peuplé d'attraits et de dangers.

Que dire enfin d'un système visuel capable d'enregistrer la lumière et d'en tirer, non seulement un relevé de l'espace immédiat mais encore d'en extraire des images, véritables icônes de la réalité par lesquelles l'acte de voir devient un acte de connaissance. Ici, le véritable organe de la vue c'est le cerveau. Le fait que la lumière soit le matériau par lequel une partie de l'univers acquiert la conscience d'elle-même constitue, sans aucun doute, un sommet de la photosynthèse. "Le cerveau humain est l'amas de matière universelle le plus complexe que nous connaissions, l'exemple parfait du haut degré d'évolution qu'a atteint la matière de l'univers [. . .] un morceau de matière capable de se contempler lui-même[1]".

We are a diurnal species, that is to say we function physically and mentally in space that is defined by light. In nature, to be stimulated by light seems to be the basis for all life. Without light, there would not have been any amoebae or micro-organisms in the original ocean, neither algae nor plant life, no oxygen, atmosphere, fish, reptiles, or mammals, and certainly not even a hint of philosophy, science, or art.

Photosynthesis occupies an important place in the life of all species. Plants turn to face the light, absorbing it to produce oxygen; light also orchestrates the blossoming or shedding of leaves. Organisms more complex and graced with nervous systems have ocular spots with which to perceive light; they orient themselves in terms of light and their rate of development is determined by it. With more developed species, which must interpret light in order to ensure their survival, the ocular spots have become eyes, capable of retrieving an infinitely more detailed imprint of light and translating it into a multi-dimensional world, laden with attractions and dangers.

What can be said of a visual system capable of registering light and extracting from it not only an impression of immediate space, but images, veritable icons of reality by which the act of seeing becomes an act of knowledge? Here, the real organ of sight is the brain. The fact that light is the material by which a section of the universe becomes conscious of itself constitutes, without a doubt, the crowning achievement of photosynthesis. "The human brain is the most complex clump of universal matter known to exist—the perfect example of the exquisite extent to which matter in the universe has evolved [. . .] a chunk of matter capable of contemplating itself."[1]

[1] Eric J. Chaisson, The Scenario of Cosmic Evolution, in *Harvard Review*, Nov./Dec., 1977, p. 31.

Avec un tel appareil visuel, il nous est devenu difficile de continuer à voir la lumière dans la lumière, ou même les images dans la lumière, tellement l'empreinte lumineuse initiale s'est transformée à travers le processus de la perception. Ce que nous voyons dans la lumière et les images, c'est "la réalité", et dans l'idée de réalité, ce qui nous étonne le plus, c'est de réaliser que nous en faisons partie: la lumière donne naissance au "je" qui pense, donc qui est.

La lumière nous donne la conscience de notre propre existence. Rien d'étonnant que nous ayons cherché un jour à nous en emparer, comme le fit Prométhée et ses descendants. Entre nos mains, la lumière, que ce soit le feu, l'ampoule électrique, un faisceau d'électrons, ou une forme qui la moule, une surface qui la colore, un appareil qui la transpose, la lumière, donc, est devenue un outil de connaissance, un instrument par lequel nous évaluons le monde, scrutons les dimensions possibles, sondons la nuit, érigeons la réalité et soignons notre image. La lumière est si essentielle à la connaissance que les deux notions sont souvents confondues. On dit "réfléchir", "être éclairé", "faire la lumière" et "vous voyez ce que je veux dire?". On compare aussi la pensée à des formes de la lumière, alléguant, comme le philosophe américain Karl Pribram, que les souvenirs sont au cerveau ce que l'image est à un hologramme: un réseau d'interférences. On songe même à des ordinateurs équipés de transistors photosensibles dont la vitesse et la versatilité permettraient les véritables premières manifestations de l'intelligence artificielle. Quant aux fibres optiques, elles sont en voie de devenir le système nerveux de la société de l'information et la lumière, son messager; tout se passe dorénavant très vite.

Dans un système de représentation dominé par la lumière, il est impensable qu'une idée ne puisse être représentée visuellement et il est presque hérétique de prétendre connaître une chose sans pouvoir en donner une image.

The initial luminous impression is so transformed during the process of perception that, even without our visual apparatus, it has become difficult to continue to see light as light, or even light as image. What we see in light and in images is "reality," and what amazes us most about the idea of reality is that we are a part of it; light gives birth to the "I" who thinks and so, therefore, is.

Light gives us the awareness of our own existence. It is not surprising that we have tried to seize it, as did Prometheus and his descendants. In our hands, light, whether it be fire, the electric light bulb, an electron beam, or a form that shapes it, a surface that colours it, a device that transports it—light has become a tool of knowledge, an instrument by which we evaluate the world and scrutinize its possible dimensions, sounding out the night, erecting reality, and nurturing our image. Light is so essential to knowledge that the two notions become confused. We say "to reflect," "to be enlightened," "to shed light upon," and "do you see what I mean?" We compare thought to various forms of light, as does the American philosopher Karl Pribram, who states that memories are to the brain what the image is to the hologram: a network of interferences. We are even considering computers equipped with photosensitive transistors whose speed and versatility will mark the first real appearance of artificial intelligence. Fibre optics are about to become the nervous system of the Computer Age, with light as its messenger. From now on, everything will happen at an even faster rate.

Sans cesse il faut faire un dessin, mettre en lumière, soulever le voile, montrer ses cartes, trouver un point de vue, regarder plus loin, voir globalement, etc. Au début de *La Métaphysique*, Aristote écrit: ". . . La vue est, de tous nos sens, celui qui nous fait acquérir le plus de connaissance . . .2". Et dans les procès civils et criminels, là même où la réalité objective est en cause, le témoignage d'un témoin oculaire a priorité, et l'évidence visuelle est insurpassable, parce que, comme le dit le proverbe: voir, c'est croire.

Tout, de la recherche fondamentale aux choses de la vie quotidienne, de l'imaginaire à la politique, tout procède de la lumière. C'est de lumière qu'est fait notre patrimoine. Il n'est donc pas surprenant que la plus grande entreprise de toute l'histoire de l'humanité ait été la recherche de la lumière, le développement des images et l'entretien d'un jardin visuel le plus riche possible pour captiver, repaître et faire rêver l'oeil collectif.

LA LUMIÈRE ET L'EMPREINTE RÉTINIENNE

La lumière pénètre dans l'oeil et produit une impression sur la rétine. Si on regardait la rétine on y verrait, comme dans un appareil photo, l'image inversée de ce qui se trouve juste en face dans le champ de vision. Il est revenu à Képler au 17e siècle de décrire la mécanique de la vision et d'établir un parallèle entre l'oeil et les effets de *camera obscura* observés par Al Hazan vers l'an 1000 et Roger Bacon au 13e siècle. Léonard de Vinci et d'autres artistes de la Renaissance avaient déjà adapté la *camera obscura* et l'avaient utilisée pour regarder le monde. Il est d'ailleurs intéressant de noter que c'est à cette époque que la peinture s'est renouvelée grâce au développement des lois modernes de la perspective et de la technique du clair-obscur. Il suffira par la suite de mieux comprendre l'oeil, de raffiner les lentilles et de

In a system of representation dominated by light, that an idea cannot be represented visually is unthinkable, and it is almost heretical to pretend to know something without providing an image of it. One must continue unceasingly to draw, illuminate, lift the veil, show one's cards, find a point of view, look further, see globally, etc. In the first sentence of his Metaphysics, *Aristotle writes, "[. . .] seeing makes us know in the highest degree [. . .]."2 And in civil and criminal jurisprudence, the very place where objective reality is sought, the testimony of an eyewitness has priority, and visual evidence is unsurpassable for, as the adage goes, seeing is believing.*

Everything, from fundamental research to the mundane, from the imaginary to the political, proceeds from light. Light is our heritage; it is therefore not surprising that one of the greatest human endeavours in history has been the search for light, the development of images, and the maintenance of the richest possible visual garden to revel in, to captivate and make dream the collective eye.

LIGHT AND THE RETINAL IMPRINT

Light enters the eye, producing an impression on the retina. Looking into the retina, one would see, as in a camera, that the image within the field of vision is inverted. It devolved upon Kepler in the 17th century to describe the mechanism of vision and to make a parallel between the eye and camera obscura *effects observed by Al Hazan around 1000 A.D. and Roger Bacon in the 13th century. Leonardo da Vinci and other Renaissance artists had already adapted the* camera obscura *and had used it to observe the world. It is interesting to note that it was around this time that painting was reinvigorated thanks to the development of the modern innovations of perspective principles and the technique of chiaroscuro. All that remained was, with a better understanding of the eye, to refine*

2 Aristote, *La Métaphysique*, Tome I, Librairie philosophique J. Vrin, Paris, 1981, p. 2.

2 Aristotle's *Metaphysics*, Indiana University Press, Bloomington and London, 1966, p. 12.

mettre au point des procédés photosensibles pour que naissent la photographie, le cinéma et le vidéo, ces mémoires de la lumière.

Mais qu'est-ce que la lumière? De Platon jusqu'à Bohr, en passant par Ptolémée, Al Hazan, Newton et Einstein, les théories sur la nature de la lumière ont été parmi les plus puissants moteurs de la science et elles ont inspiré des positions philosophiques qui ont marqué l'histoire de l'humanité. Chaque découverte

lenses, and to perfect photosensitive procedures for photography, film, and video, those memories of light, to come about.

But what is light, exactly? From Plato to Bohr, by way of Ptolemy, Al Hazan, Newton, and Einstein, theories on the nature of light have been one of the more powerful driving forces of science, and they have inspired philosophical positions that have influenced the history of humanity. Every discovery in the

Billet d'un dollar américain

sur la lumière touche directement la nature même des choses et la vision que nous en avons. Parmi les théories les plus intéressantes, citons celle du physicien français Louis De Broglie qui croyait en un constant recyclage dans l'univers de lumière en matière et de matière en lumière. Ou encore celle du physicien allemand Werner Heisenberg selon laquelle, à l'échelle de l'infiniment petit ou au niveau quantique, la perception de la réalité est insé-

realm of light has directly touched the very nature of things and our vision thereof. Among the more interesting are: the French physician Louis De Broglie, who believed in a constant recycling in the universe of light into matter and of matter into light. Or that of the German physician Werner Heisenberg, who believed that at the submicroscopic or quantum level, reality cannot be separated from the act of observation (the principle of indeter-

Partie visible du spectre électromagnétique

parable de l'observation même (principe d'indétermination). Bien avant eux, l'évêque et philosophe irlandais Georges Berkeley se demandait si, faute d'évidence, les objets continuaient d'exister lorsqu'il n'y avait plus personne pour les regarder. Il en avait conclu à l'existence de Dieu puisque, pensait-il, seul un regard omniprésent pouvait garantir l'existence continuelle des objets[3]. Avec de pareilles idées, on en est venu à douter de la sensation visuelle. On se regarde tout-à-coup en train de voir; on se demande aussi si ce que l'on croit reconnaître comme notre monde a bien une substance et si, finalement, l'univers n'est pas aussi infini que le sont probablement les manières de le décrire.

Malgré tout, la sensation visuelle est pour nous bien réelle. Pour l'oeil et surtout la rétine, ce tapis de terminaisons nerveuses composé de bâtonnets et de cônes, sur lequel les motifs de la lumière qui se trouve dans le champ de vision viennent s'imprimer, la lumière est une radiation d'une intensité variant entre 0,8 λm et 0,4 λm, soit une infime portion du spectre électromagnétique tel que défini par Maxwell au 19e siècle. Selon la physique moderne, l'électromagnétisme, la gravité, la "strong force" et la "weak force" gouvernent l'ensemble de l'univers connu. Le spectre électromagnétique comprend, d'un côté les ondes radio qui peuvent mesurer jusqu'à plusieurs kilomètres de long, et de l'autre, les rayons gamma mesurant toute just 0,001 nm. L'expérience de la vision, déjà limitée à une toute petite portion du spectre électromagnétique, l'est aussi à ce qui se trouve dans le champ de vision d'un individu à un moment donné, c'est-à-dire à bien peu de choses. Mais peu c'est encore beaucoup.

minacy). And well before both, the Irish bishop and philosopher George Berkeley wondered whether, given lack of evidence, objects continued to exist if there was no one to see them. He thought he had proven the existence of God because only an omnipresent gaze could guarantee the continual existence of objects.[3] With the advent of similar ideas, the visual sensation was put into question. We suddenly look at ourselves in the act of seeing; we also ask ourselves whether what we believe we recognize as our world actually has substance, and, finally, whether the universe is not as infinite as are the ways to describe it.

Despite everything, the sense of sight is quite real for us. For the eye, and especially for the retina, a layer of nerve endings made up of rods and cones on which the patterns of light found within the field of vision are imprinted, light is a radiation of an intensity ranging from 0.8λm to 0.4λm, an infinitesimal portion of the electromagnetic spectrum as defined by Maxwell in the 19th century. According to modern physics, electromagnetism, gravity, "strong" forces, and "weak" forces govern the entirety of the known universe. The electromagnetic spectrum consists of, on one side, radio waves measuring up to several kilometres in length, and, on the other, gamma rays measuring no more than 0.001 nm. The experience of vision, already limited to its tiny fraction of the electromagnetic spectrum, is also limited to what happens to be in an individual's field of vision at any given moment, that is to say, precious little. But a little is often plenty.

[3] Voir à ce sujet Gregory R.L., *The Intelligent Eye*, New York: McGraw Hill, 1971, p. 11.

La lumière est émise lorsqu'un électron saute vers une orbite extérieure et s'éloigne de son noyau, libérant ainsi de l'énergie (Bohr). Baptisé photon par Einstein, un seul de ces "paquets d'énergie" est nécessaire pour produire une sensation rétinienne. À la fois onde et particule, la lumière voyage en ligne droite, elle est directe ou indirecte, absorbée, réfléchie, réfractée, dispersée, diffuse, interférante, diffractée, polarisée, elle a une vitesse, une énergie, elle est quantifiable et sert à mesurer l'univers. La lumière blanche est l'ensemble des radiations qui composent le spectre visible. Les couleurs sont des composantes de la lumière blanche. La couleur d'un objet c'est la part de lumière blanche que l'objet n'absorbe pas: la feuille verte, par exemple, absorbe le rouge et le bleu et réfléchit le vert; un objet vert éclairé par une lumière violette (bleu et rouge) apparaîtra noir puisqu'il absorbe toute la lumière.

Il y a ainsi dans l'expérience de la lumière (son intensité, ses formes, ses transformations) un nombre infini d'aspects qui rendent l'essentiel de ce que nous appelons notre monde. En fait, une bonne part de l'ingéniosité humaine consiste à positionner les objets qu'on veut visibles à l'intérieur du registre de l'appareil visuel, c'est-à-dire devant les yeux et dans la partie visible du spectre électromagnétique. C'est ce qui explique l'émergence de toute une panoplie de pratiques et d'appareils pouvant élargir l'expérience visuelle. On y trouve toutes les formes de l'environnement: la sculpture, l'architecture et le paysagisme qui accrochent la lumière et créent le cadre multidimensionnel de nos existences; on y trouve aussi l'écriture, le dessin, la peinture, la photographie et le cinéma qui illustrent l'imaginaire et se souviennent des formes de la lumière. On y trouve encore les sources de lumière: la lumière naturelle dont nous profitons en vivant le jour, la lumière artificielle que l'on produit abondamment pour éclairer la nuit et étirer le temps, la "lumière" invisible que nous transposons à l'intérieur du spectre visi-

Light is emitted when an electron leaps toward an exterior orbit, moving away from its core and thereby giving off energy (Bohr). Just one such "bundle of energy," which Einstein called a photon, is sufficient to produce a retinal sensation. Light travels in a straight line and is at once wavelength and particle; either direct or indirect, it is absorbed, reflected, refracted, dispersed, diffuse, interfering, diffracted, polarized, it has a speed and an energy. It is quantifiable and is used to measure the universe. White light is the entirety of radiations that constitute the visible spectrum and colours are the components of white light. An object's colour is that part of white light that the object cannot absorb; a green leaf, for example, absorbs the red and the blue, while reflecting the green. If lit with a purple (red and blue) light, a green object would, having absorbed all the colours, appear to be black.

In the experience of light (its intensity, forms, and transformation) there are an infinite number of aspects that are essential to our view of the world. In fact, a large part of human ingenuity consists of positioning those objects which we wish to be visible within the range of our visual apparatus; in other words, before our eyes and in the visible section of the electromagnetic spectrum. This explains the emergence of a panoply of practices and devices capable of widening visual experience. This is true of the forms that make up our environment: sculpture, architecture, and landscaping, all capturing light to create the multi-dimensional framework of our existence. It is also true of writing, drawing, painting, photography, and film, where the imaginary is illustrated and the various forms of light are recollected. There are also the sources of light to consider: natural light from which we benefit daily, the abundant production of artificial light that illumines our nights and extends time, invisible "light"—infrared, ultraviolet, X-rays, radio waves—that we transpose into the visible spectrum in order to "see."

41

ble pour "voir" l'infrarouge, l'ultra-violet, les rayons X, les ondes radio; il y a des appareils comme les radars et les résonateurs magnétiques nucléaires (RMN) qui brisent l'opacité des choses, les téléscopes et les microscopes qui regardent plus loin et plus grand, la télévision et les satellites qui permettent d'être partout à la fois, les voyages qui procurent de nouveaux points de vue, et ainsi de suite.

De l'infiniment grand à l'infiniment petit, de partout à la fois et avec la mémoire du passé et les visions du futur, la richesse de l'expérience visuelle et l'ampleur des formes de la lumière sont devenues impossibles à mesurer. Dans un tel plasma tout a une forme et même des "objets" comme le bonheur trouvent leur place sur la rétine.

L'EMPREINTE RÉTINIENNE ET LA CONSCIENCE

Mais que faire d'une empreinte rétinienne? Une fois enregistrée, il reste à l'interpréter. Une longue série de transpositions s'effectue, depuis l'empreinte initiale sur la rétine jusqu'au cortex visuel, via le nerf optique et le corps genouillé latéral, puis du cortex visuel aux centres les plus élevés de la hiérarchie cérébrale jusqu'à ce qu'on nomme la conscience. À chaque étape, l'impression rétinienne est interprétée et réinterprétée jusqu'à ce que la disposition des motifs lumineux sur la rétine devienne une perception de la réalité. Il est toutefois difficile de comprendre exactement ce qui se passe à l'intérieur du cerveau. Le neurobiologiste David H. Hubel parle de ce problème: "Lorsque quelqu'un maintient que le cerveau est incapable de se comprendre, il fait une analogie avec l'aphorisme qui dit qu'une personne ne peut s'élever elle-même à la force de ses poignets[4]".

Le cerveau est une "boîte noire" et notre seul recours pour en percer le secret est de regarder ce qui entre d'un côté et ce qui en sort de l'autre pour tenter d'imaginer ce qui pourrait se passer entre les deux moments. On peut ainsi choisir de construire un modèle du

There are instruments such as radar and nuclear magnetic resonators (NMR) that break down the opacity of objects, telescopes and microscopes that can see even farther and magnify even more, televisions and satellites that allow us to be everywhere at once, travels that give us new perspectives, etc.

Given this far-reaching mobility, memory of the past, and vision of the future, it has become impossible to measure, from the infinitely large to the infinitesimal, the wealth of visual experience and the magnitude of light. In such a plasm everything has a form, and even "objects" such as happiness find their way into the retina.

THE RETINAL IMPRINT AND CONSCIOUSNESS

But what is to be done with the retinal imprint? Once registered, it remains to be interpreted. A long series of transpositions occurs after the initial imprint on the retina, via the optic nerve and the lateral geniculate nucleus, and from the visual cortex to the more sophisticated centres in the cerebral hierarchy before it becomes what we call consciousness. The retinal imprint is interpreted and reinterpreted at each stage until the arrangement of luminous patterns on the retina becomes a perception of reality. It is, however, difficult to understand exactly what happens inside the brain. The neurobiologist David H. Hubel has commented on this problem: "When someone maintains that the brain cannot be expected to understand the brain, the analogy is to the aphorism that a person cannot lift himself by his own bootstraps."[4]

The brain is a "black box," and to uncover its secret, our only recourse is to observe what goes in one side and what comes out the other before we even begin to attempt to imagine what goes on between the two events. We can therefore choose to construct a model of the brain, and its visual and cogni-

[4]   David H. Hubel, The Brain, in *Scientific American*, Septembre 1979, p. 45.

42

cerveau et plus particulièrement de ses systèmes visuels et cognitifs en partant soit d'une
perception et en cherchant à trouver son chemin vers le bas (le "top-down" de la psycholo-
gie expérimentale), soit d'une empreinte rétinienne et en progressant vers le haut (le
"bottom-up" de la neurobiologie). D'un côté,
la perception, et de l'autre, la lumière.

Il est malgré tout hasardeux de dresser des
cartes du système visuel. Ce qui apparaît clair

*tive systems in particular, by beginning with a
perception and working our way down (experimental psychology's "top-down" approach) or by taking a retinal imprint and
working our way up (neurobiology's "bottom-
up" approach). On one side we have perception, and on the other, light.*

*Though it may be rash to draw up charts of
the visual system, it is nevertheless clear that
there is a delay between available light and*

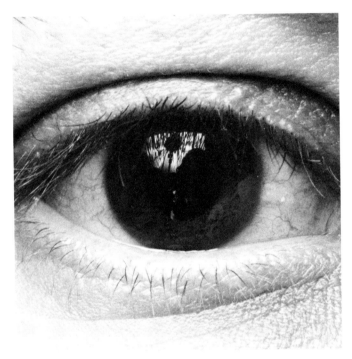

Photo: Yves Binette

cependant, c'est qu'entre la lumière disponible et la perception, il y a un décalage,
comme si entre l'environnement et la perception il y avait un jeu constant entre l'offre et la
demande. D'une part, le cerveau cherche à
trouver dans la lumière ce qui le préoccupe et,
d'autre part, la lumière (l'environnement) cherche à s'imposer au cerveau. Le cerveau aurait
ainsi des intentions qui pourraient être tout
aussi déterminantes dans l'acte de voir que ce
qui se trouve dans le champ de vision.

*its perception, as if there were a constant in-
terplay of supply and demand between the
environment and perception. The brain is trying to discover what preoccupies it about
light, while light (the environment) seeks to impose itself on the brain. The brain would
thereby harbour intentions as determining to
the act of seeing as what lies in its field of vision.*

Quelque part entre l'intention qui descend et la sensation qui monte, l'expérience consciente de la vision s'opère. De trop fortes intentions peuvent occulter tout ce qui n'a pas de rapport avec ce qu'on cherche, de même qu'un environnement spectaculaire peut contrecarrer une intention du cerveau. C'est comme si le regard avait le pouvoir de plonger dans l'environnement et l'environnement le pouvoir de se frayer un chemin jusqu'à la conscience. Cette façon d'envisager l'individu dans l'environnement et l'environnement dans l'individu existe ainsi dans un rapport d'équilibre en transformation constante: regarder nous permet d'agir, agir nous présente d'autres occasions de regarder à partir desquelles nous trouvons d'autres raisons d'agir et ainsi de suite.

Ceci nous replonge de façon surprenante au coeur du débat qui anima les premiers philosophes autour du phénomène de la vision. On se demandait alors si le "feu visuel" émanait de l'objet vu ou de l'oeil lui-même. Selon le point de vue de certains (Pythagore, Euclide et Hipparque), les yeux projetaient des rayons qui "touchaient" les objets extérieurs. D'autres (Aristote) prétendaient, au contraire, que les objets émettaient des miniatures d'eux-mêmes dont certaines venaient se loger dans l'oeil pour s'y développer. D'autres enfin (Empédocle, Platon) estimaient que l'expérience de la vision était le résultat de l'adaptation de ces deux feux entre eux: le noir étant le résultat d'un feu visuel plus fort que le feu extérieur, le blanc, l'opposé, et la couleur, un équilibre entre les deux. Ceci annonce de façon remarquable ce que nous commençons tout juste à comprendre sur l'échange entre le cerveau et l'environnement et sur le problème de l'attention.

UN MONDE CLAIR-OBSCUR

Ainsi, le cerveau aurait des intentions qui pourraient être tout aussi déterminantes dans l'acte de voir que ce qui se trouve dans le champ de vision. Qu'est-ce qui fait qu'un envi-

The conscious experience of vision is conducted somewhere between that descending intention and rising sensation. Too strong intentions can overshadow everything unrelated to what we seek; a spectacular environment can thwart the brain's intention. It is as if the gaze had the power to plunge into the environment, and it, in turn, could force its way into consciousness. This way of considering the individual in the environment and vice versa is in a constant state of equilibrium and transformation; to look allows us to act, by acting we have more occasions to look, to find more reasons to act, and so on.

This brings us back, surprisingly, to the heart of the debate surrounding the phenomenon of vision which so impelled the early philosophers. There was question as to whether the "visual" fire emanated from the seen object or directly from the eye itself. According to certain opinions (Pythagoras, Euclid, and Hipparchus), rays projected from the eye "touched" external objects. Aristotle, among others, held the opposite view, that objects emitted miniatures of themselves and that certain of these lodged in the eye, where they expanded. Still others (Empedocles, Plato) estimated that the experience of vision was the result of an adaptation between these two "fires": black being the result of a visual fire stronger than the exterior one, the opposite being the case for white, while colours derive from an equilibrium between the two. Remarkably, this foreshadows what we are only now beginning to understand about the interrelation of the brain and the environment, as well as the problem of attention.

A WORLD IN CHIAROSCURO

It follows that the brain would have intentions that determine the act of seeing as much as that which lies in the field of vision. How is it that an environment can captivate an observer, or an observer an environment? There are no answers as yet. To gain attention, is it necessary to confront and dominate the inten-

ronnement puisse captiver un observateur, ou qu'un observateur puisse se captiver pour un environnement? On ne saurait trop le dire encore. Faut-il, pour capter l'attention, en mettre plein la vue, dominer les intentions du spectateur et l'entraîner de force dans un jeu dont il ne contrôle pas les règles, ou encore faire toute la place aux moindres relents de personnalité d'un sujet, le mettre en confiance, face à lui-même et favoriser la formation d'intentions qui lui seraient propres? Une chose est certaine: la maîtrise de la lumière est un art puissant et il n'est plus étonnant de se la faire prescrire à des fins thérapeutiques, comme ces bains de lumière contre la dépression automnale ou encore les films policiers contre l'ennui.

Et ce n'est qu'un début. Lorsqu'il s'agit de réaffirmer son individualité par rapport à l'environnement ou encore de reprendre contact avec la réalité, la lumière est la chose, qu'elle soit aux mains d'un médecin, d'un psychiatre, d'un policier, d'un architecte, d'un designer ou d'un artiste. Selon le philosophe contemporain Marx W. Wartofsky, *la* vision est un artefact, le produit de ce qui est donné à voir: "Nous en sommes venus à voir la façon dont nos images représentent[5]". Il réaffirme ainsi le pouvoir qu'a l'art de renouveler l'oeil, la vision du monde et le monde visible.

La lumière est donc essentielle, mais sa transformation l'est davantage. La transformation de la lumière est la transformation de la réalité, et les réalités physique et psychique ne peuvent se transformer sans une transformation de la lumière, celle qu'on voit ou celle qu'on imagine. Or la transformation la plus dramatique de la lumière, c'est sa disparition. Qu'advient-il de la perception lorsque la lumière fait défaut? Le cerveau est alors forcé de reconstituer le monde de l'intérieur, à partir de la peur, de l'angoisse, de la sérénité, de la fantaisie. La nuit peut être l'occasion d'ivresses et de sensations étonnantes, mais elle peut être aussi le début de la terreur comme les enfants le savent. Qui n'a pas eu

tions of the spectator who is forcibly drawn into a game in which he or she has no control over the rules? Should one accommodate the slightest trace of the subject's personality, making the subject self-confident and favouring the formation of intentions that would be suitable to that subject? One thing is certain: the mastery of light is such a powerful art that it is no longer surprising to have light prescribed for therapeutic purposes, such as baths of light to combat autumnal depression, or even "cop films," to stave off boredom.

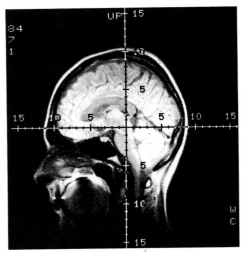

Tomogramme IRM d'un crâne humain

This is merely a beginning. When it comes to reaffirming one's individuality in the face of the environment, or even to re-establishing contact with reality, light is the answer, whether it be used by a doctor, a psychiatrist, a police officer, an architect, a designer, or an artist. According to the contemporary philosopher Marx W. Wartofsky, there is such an interdependence between vision and the visible that sight itself is an artifact, the product of what there is to see: "We come to see the way our pictures represent."[5] He thus reasserts the power of art to renew the eye, the visible world, and its vision.

5   Marx W. Wartofsky, Sight, Symbol and Society: Toward a History of Visual Perception, *Annual Proceedings of the Center for Philosophic Exchange*, Summer 1981, Vol.3, No.2, p. 28.

Tombée du jour dans les causes (France), 1982.
Photo: Luc Courchesne

peur du noir, de ses loups, de ses fantômes. La nuit, on peut avoir le réflexe de se tourner vers le ciel, pour y trouver des héros tel Orion, bataillant courageusement l'opacité du monde.

La nuit et sa carence de lumière est la principale source de mystère, et le mystère, c'est ce qui déclenche l'attention, ce qui ouvre véritablement l'oeil et rend consciente l'expérience de la vision. Léonard de Vinci raconte qu'un jour, en se promenant parmi les rochers au bord de la mer, il parvint au seuil d'une grande caverne et resta un moment "frappé de stupeur, en présence d'une chose inconnue".

> "Je pliai mes reins en arc, appuyai la main gauche sur le genou, et de la droite je fis écran à mes sourcils baissés et rapprochés; et je me penchai d'un côté et d'autre plusieurs fois pour voir si je pouvais discerner quelque chose; mais la grande obscurité qui y régnait ne me le permit pas. Au bout d'un moment, deux sentiments m'envahirent: peur et désir, peur de la grotte obscure et menaçante, désir de voir si elle ne renferme pas quelque merveille extraordinaire[6]".

Il semble en effet que ce soit ce qu'on ne peut voir qui nous captive le plus, et qui a véritablement le pouvoir de générer l'attention nécessaire à la perception visuelle. On serait tenté de dire, comme le fit le philosophe Thomas Brown, que "la lumière est l'ombre de Dieu": elle cache l'essentiel et la regarder équivaut à regarder le doigt de quelqu'un qui pointe vers un objet. Par conséquent, lorsqu'on parle de la vision, il ne faudrait plus dire lumière pour signifier voir, mais parler plutôt du jeu de la lumière et de l'ombre, du do-

6 André Chastel, *Léonard de Vinci—la peinture*, Paris, Hermann, 1964, p. 159.

More essential than light itself is its transformation. The transformation of light is the transformation of reality, and physical and psychological realities cannot change without there being a transformation of light, as seen or as imagined. And the most dramatic transformation of light is its disappearance. What becomes of perception when light is absent? The brain is then forced to reconstruct an interior world out of fear, anguish, serenity, and fantasy. Night can induce elation and astounding sensations, but it can also occasion terror, as children well know. Who hasn't been afraid of the dark with its wolves and ghosts? It is at night that we instinctively turn toward the heavens to find Orion and other heroes fearlessly battling the obscurity of the world.

Night, with its absence of light, is a principal source of mystery, and mystery attracts attention, is a genuine eye-opener that renders the experience of vision a conscious one. Leonardo da Vinci recounts how, walking one day among sea-side rocks, he found himself at the threshold of a large cave, and stood there awhile "stupefied in the presence of something unknown."

> *"I bent my back into an arc, leaned my left hand on my knee, and with my right hand shielded my lowered, frowning eyebrows; and then I leaned to one side and then the other several times to see if I could make anything out; but, due to the complete obscurity there, I could not. After a moment, two emotions overwhelmed me: fear and desire—fear of the dark, menacing cave, and a desire to see if it didn't conceal some extraordinary marvel."[6]*

It would seem, in effect, that it is what we

sage du mystère et de la certitude, bref, du clair-obscur.

Léonard de Vinci a inventé la notion de clair-obscur au moment où se développait un nouveau regard sur le réel. Cette nouvelle maîtrise de la lumière à l'intérieur du tableau pouvait ainsi témoigner de la nature telle qu'elle se présentait à l'observateur de la Renaissance. Avec la perspective et le clair-obscur, un oeil neuf faisait la lumière sur un monde transformé.

De Mona Lisa à Gloria Swanson, que s'est-il passé? Quels sont aujourd'hui les yeux de l'humanité? Quels éclairages trouve-t-on et quels paysages nouveaux s'offrent à nous? Plus que jamais, on regarde la lumière: celle de nos nuits urbaines, de nos écrans de télévision, ou d'ordinateurs. Comme le feu jadis, cette lumière nourrit l'imaginaire, mais elle est dorénavant remplie d'intentions. Il n'y a pas un coin où jeter son regard qui ne recèle quelque message. Y aurait-il par conséquent un nouveau clair-obscur, une nouvelle façon de rendre la réalité intelligible qui pourrait être aussi marquante pour notre époque que l'a été pour la Renaissance le clair-obscur?

C'est la question à laquelle sont peut-être en train de répondre les designers, les scientifiques, les philosophes et autres chercheurs qui sont préoccupés par la lumière. Et parmi ceux qui *voient* la lumière, les artistes sont aux premières loges de la réalité et en mesure, peut-être, de la réinventer. "La nature n'est pas cette Mère qui nous a fait naître" fait dire Oscar Wilde à Vivian dans la préface du *Portrait de Dorian Gray*; "elle est notre création. C'est dans notre cerveau qu'elle prend vie. Les choses sont parce que nous les voyons, et ce que nous voyons est influencé par les Arts.

cannot see that most captivates us and is truly capable of generating the attention required for visual perception. One is tempted to echo the philosopher Thomas Brown, who said that "light is the shadow of God": it conceals the essential, and to watch light only is the same as looking at the finger of someone pointing at an object. Consequently, when we speak of vision, we can no longer say light when we mean see, but rather speak of the interplay of light and shadow, of a measure of mystery and certainty—in short, chiaroscuro.

The notion of chiaroscuro, Leonardo da Vinci's invention, coincided with the development of a new way to perceive reality. This new mastery of light in the interior of a painting could attest to how nature appeared to a Renaissance observer. Equipped with perspective and chiaroscuro, a new eye shed light on a transformed world.

What happened in the interim between the Mona Lisa and Gloria Swanson? What characterizes the eyes of present-day humanity? What new lighting is to be found, what new landscapes offered us? We look at light more than ever before: that of our urban nights, of our televisions, or of our computer screens. Light nourishes the imagination, as it did in the past, but it will be charged with intentions from now on. One cannot cast a glance anywhere without receiving some message or other. Consequently, will there be a new chiaroscuro, a new way to render reality intelligible that could influence an age as did chiaroscuro for the Renaissance?

Perhaps that is the question that designers, scientists, and other researchers concerned with light are trying to answer. And among those who "see" light, artists are "front row

[. . .] À présent, les gens perçoivent la brume, pas parce qu'il y en a, mais parce que les peintres et les poètes leur ont révélé le charme mystérieux de tels effets. [. . .] Ils n'existaient pas avant que l'Art les invente[7]".

Chacun peut profiter de cette exposition, où toute lumière est délibérée, pour se regarder en train de voir, pour chercher le sens autant dans ce qui est caché que dans ce qui se voit et risquer d'être témoin de l'émergence d'une nouvelle réalité où se trouvera regénérée la perception que nous avons de nous-mêmes.

LA NUIT TOMBE
L'OBSCURITÉ S'INSTALLE
IMAGINEZ-DONC!

centre" and are perhaps capable of reinventing reality. "Nature is no great mother who has borne us," Oscar Wilde has Vivian say in the preface to The Picture of Dorian Gray, "She is our creation. It is in our brain that she quickens into life. Things are because we see them, and what we see depends on the Arts that have influenced us. [. . .] At present, people see fogs not because there are fogs, but because painters and poets have taught them the mysterious loveliness of such effects. [. . .] They did not exist until Art invented them."[7]

Everyone can benefit from this exhibition, where all light is deliberate, to look at ourselves in the act of seeing, to search for meaning in what is hidden, as well as in what can be seen; perhaps to witness the emergence of a new reality which will regenerate the perceptions we have of ourselves.

NIGHT FALLS
DARKNESS SETTLES
JUST IMAGINE!

Translated by ROBERT McGEE

[7] Marx W. Wartofsky, *op. cit.*, p. 29.

LES ARTISTES
THE ARTISTS

Certaines oeuvres, conçues pour l'exposition, n'ont pu être reproduites dans ce catalogue.

PIERRE AYOT 1943, Montréal, Québec, Canada

Dans les installations-projections de Pierre Ayot, objets quotidiens ou fabriqués, oeuvres d'art, formes antiques, ou portraits de personnalités du milieu actuel de l'art sont tour à tour soumis à un traitement pictural dont le pointillisme systématique imite le procédé mécanique de séparation des couleurs dans la technique d'impression en quadrichromie. De petits points de couleurs sont posés sur les objets et, à l'occasion, sur une toile de fond de façon à ce qu'ils épousent la surface éclairée par un projecteur pour créer l'effet d'une diapositive.

Dans cette déconstruction de la fonction mimétique de la représentation picturale où objets et images coïncident, l'un et l'autre s'illusionnant, l'espace vide entre le projecteur et l'image en apparence projetée devient le lieu où le spectateur effectue un parcours critique. Lorsqu'il pénètre dans le dispositif de l'installation, le spectateur projette son ombre sur la scène, s'inscrivant ainsi comme sujet en même temps qu'il détruit l'illusion de la projection. En se déplaçant, il constate l'impossibilité d'occuper le point de vue d'où la scène donnerait son plein effet de réalité, celui-ci étant situé dans la lentille du projecteur; il est donc forcé de n'avoir qu'une suite de vues décalées et devient ainsi conscient de l'écart que sa propre présence implique. *Serge Bérard*

In Pierre Ayot's installations, found or fabricated objects, works of art, forms from Antiquity, or portraits of current art-world figures alternately undergo a pictorial treatment whose systematic pointillism imitates the mechanical process of four-colour separation used in printing. Small dots of colour are applied to the object and, occasionally, to a background screen; they combine with the projector-lit surface to create the effect of a slide projection.

In this deconstruction of the mimetic function of pictorial representation, where object and image coincide, one being mistaken for the other, the empty space between the projector and the apparently projected image becomes the place where the spectator embarks on a critical path. Upon confronting the mechanism of the installation, the viewer casts his or her shadow on the screen, becoming inscribed as subject at the same time as destroying the illusion of the projection. Moving around, the spectator realizes that there is no position from which to see the illusion at its most effective, that point of view being in the projector's lens. The viewer is forced to accept a sequence of shifted perspectives and becomes aware of the extent to which his or her presence implies this discrepancy.

Pierre Ayot
I pomodori verdi di Boissano, 1983
Acrylique sur toile et bois, projection
120 x 178 x 40 cm
Collection: Banque d'oeuvres d'art du Canada
Photo: Centre de documentation Yvan Boulerice

CLAUDE-PHILIPPE BENOIT 1953, New Liskeard, Ontario, Canada

Le double est effectivement cette image fondamentale de l'homme, antérieure à la conscience intime de lui-même, reconnue dans le reflet ou l'ombre, projetée dans le rêve, l'hallucination comme dans la représentation peinte ou sculptée, fétichisée et magnifiée dans les croyances en la survie, les cultes et les religions.
Edgar Morin, *Le Cinéma ou l'homme imaginaire*

Le noir et son double

"Le noir, c'est le grand écran blanc, réceptable en attente de l'image, de la projection. Le noir c'est le fond du lieu, l'assombrissement, l'un des pôles de l'éclairage. Ce noir est transpercé par la projection, vue comme la fiction première de la salle de cinéma. La projection précède l'écran et précède même le scénario, elle arrive de derrière et nous prédispose à l'intrigue. Elle est le double de l'image réelle et dans cette fonction, elle n'est visible que par sa mécanique, sa magie.

Le noir et son double traite des confrontations de l'inconscient lorsqu'il cherche à conserver les états affectifs et le second regard. L'oeuvre est une réflexion qui touche au revers des lieux du double de la réalité; les lieux mythiques de l'histoire du scénario."

The double is effectively the fundamental image of man, precursor to an intimate awareness of himself, recognized in reflection or in shadow, projected in dream, the hallucination as in painted sculpted representation, fetishized and magnified in the beliefs in afterlife, cults, and religions.
Edgar Morin, Le cinéma et l'homme imaginaire

Le noir et son double

"Darkness is an immense white screen, a receiver lying in wait for the image, for the projection. Darkness is the background of the site, the gloominess, one of lighting's polarities. Darkness is transfixed by the projection that is seen as the primary fiction of the movie theatre. The projection precedes the screen and prefigures even the scenario, arriving from behind, predisposing us to intrigue. It is the real image's double and, in this role, is not visible other than by its mechanism, its magic.

Le noir et son double *deals with confrontation of an unconscious mind when seeking to preserve emotional states and the second sight. The work is a reflection that touches on the realms of reality's double in reverse, the mythical realms of the history of the scenario."*

De la série l'*Envers de l'écran, un tourment photographique*, 1985
Épreuve argentique, 40,6 x 50,8 cm (chacune)
Photographie de l'artiste

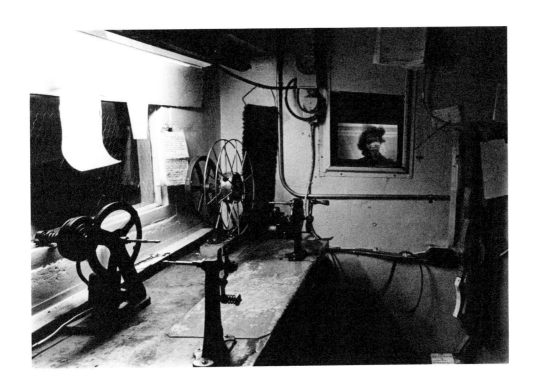

Claude-Philippe Benoit
De la série *l'Envers de l'écran, un tourment photographique*, 1984
Épreuve argentique, 40,6 x 50,8 cm
Collection: Banque d'oeuvres d'art du Canada
Photographie de l'artiste

53

CHRISTIAN BOLTANSKI 1944, Paris, France

Les *Ombres* de Christian Boltanski sont constituées de figurines de cartons suspendues à des fils, placées sur le sol, et dont des projecteurs à diapositives renvoient sur les murs l'ombre agrandie. Sauf à l'endroit des projecteurs, la pièce est plongée dans l'obscurité, ce noir dont Boltanski affirme qu'il indique le vide, et sur lequel les figurines flottent, évoquant une reconstitution mythique incertaine. La reconstitution impossible du passé personnel, qui traverse toute l'oeuvre de l'artiste, prend des dimensions archéologiques et le caractère dérisoire des petits personnages s'amplifie de la présence inquiétante d'une préhistoire. Du rituel intime de la fabrication de ces petits pantins à leur projection dans un imaginaire collectif se répète également l'une des préoccupations majeures de l'artiste.

Serge Bérard

Christian Boltanski's *Ombres* are comprised of cardboard figurines, suspended on wires and placed on the ground, whose enlarged shadows are then cast onto the walls by slide projectors. Except for the area around the projectors, the space is immersed in total darkness, a darkness Boltanski maintains is a void; the figurines float in this void, recalling an uncertain mythic reconstruction. The impossible reconstruction of the personal past, a theme recurring throughout the artist's work, assumes archaeological dimensions; the pathetic nature of the little characters becomes accentuated in the disquieting presence of prehistory. The artist's major preoccupations range from the intimate ritual inherent in the making of these little puppets to their projection into the collective imagination.

Christian Boltanski devant les *Ombres*
Histoire de sculpture, Nantes, 1985
Photo: gracieuseté de l'artiste

Leçons de Ténèbres, 1986
Biennale de Venise
Photo: Gracieuseté de l'Association française d'action artistique

54

Christian Boltanski
Leçons de Ténèbres, 1985
Nantes
Squelettes en papier ondulé
Photo: gracieuseté de l'artiste

CHRIS BURDEN 1946, Boston, Massachusetts, États-Unis

"The Speed-of-Light Machine est la reconstitution du dispositif original, datant du XIXe siècle, utilisé pour mesurer avec précision la vitesse de la lumière dans les limites du laboratoire.

Un faisceau lumineux est réfléchi à travers une série de lentilles et de miroirs, et le spectateur, en regardant à travers un oculaire placé sur la table de contrôle, peut vérifier que la lumière voyage à la vitesse extrême de 300 000 km/sec, ou de 1 08000000 km/h.

Si l'homme doit un jour parvenir jusqu'aux étoiles lointaines, il lui faudra voyager à des vitesses approchant celle de la lumière."

"The Speed-of-Light Machine is a re-creation of the original 19th century apparatus used to accurately measure the speed of light in the small confines of a laboratory.

A beam of light is bounced through a series of lenses and mirrors, and the viewer, by looking through an eyepiece at the control table, can see definite proof that light travels at the extreme speed of 186,000 miles per second, or 669 million miles per hour.

If man is ever to travel to the distant stars, he will have to travel at speeds approaching the speed of light."

Tower of Power, 1985
100 lingots d'or pur d'un kilo, figurines en alumettes de carton,
oeuvre en cours de réalisation, Wadsworth Atheneum,
MATRIX Gallery, Hartford, États-Unis

56

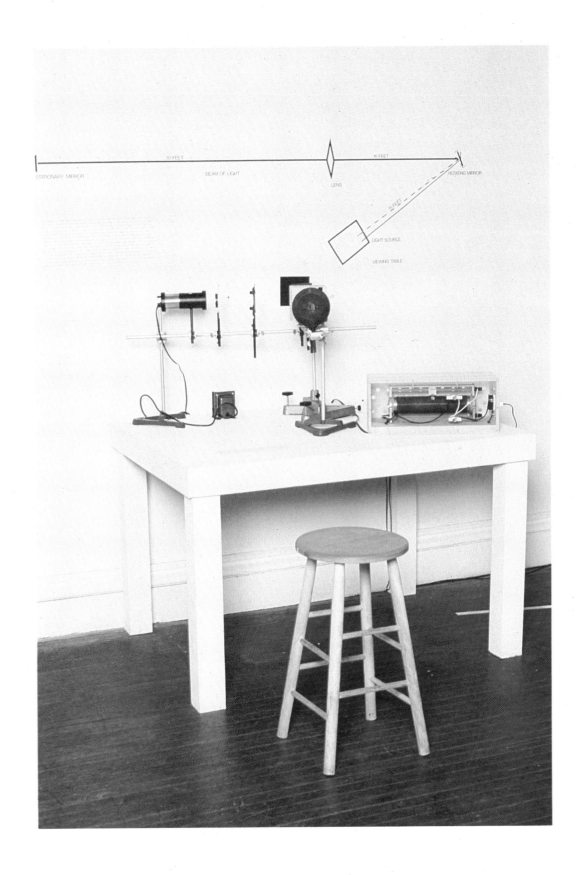

Chris Burden
Speed-of-Light Machine, détail, 1983
Lentilles, miroir pivotant, miroir
Faisceau de lumière: 13,7 m
Photographie de l'artiste

DANIEL BUREN 1938, Paris, France

Daniel Buren utilise toujours la même image, des bandes verticales, dont le caractère immuable lui permet de servir à chaque présentation de point de référence autour duquel le contexte de l'oeuvre sera soumis à une analyse.

Ici, cette image-cadre enserre étroitement le contexte thématique de l'exposition, la lumière. Celle-ci provient des bandes verticales et se reflète sur elles, faisant de l'image à la fois la source et la limite du thème.

Serge Bérard

Daniel Buren always uses the same image, vertical stripes. In each show, their immutable character serves as a point of reference, with which the context of the work undergoes analysis.

Here, the image-frame fits the thematic concept of the exhibition closely: light. This light derives from vertical stripes and is reflected on them, making the image at once the theme's source and its boundary.

Pavillon français des jardins
Biennale de Venise, 1986
Photo: gracieuseté de l'Association française d'action artistique

Pavillon français des jardins
Biennale de Venise, 1986
Photo: gracieuseté de l'Association française d'action artistique

Daniel Buren
La cabane lumineuse, 1985
Galerie Tucci Russo, Turin
Photo: Nanda Lanfranco

GENEVIÈVE CADIEUX 1955, Montréal, Québec, Canada

Geneviève Cadieux élabore des situations de regard où image, système de représentation et spectateur sont étroitement imbriqués. Ses installations multiplient les renvois à l'histoire de la peinture, de la photographie et du cinéma et évoquent, autour de la représentation de la femme, les notions de sexualité, de voyeurisme et de pouvoir. Qu'il s'agisse d'images anciennes, chargées de connotations historiques, de portraits d'un sujet contemporain anonyme ou d'une juxtaposition des deux, la femme est soumise au dispositif de représentation mécanique, et marque tour à tour son consentement à être objectivée et sa résistance face à l'autorité du système photographique. L'attitude de l'artiste oscille entre la pudeur et le respect face à son sujet, et la mise en évidence de la violence et du voyeurisme inhérents à l'image photographique. Une même ambiguïté régit son rapport au système photographique: l'artiste utilise la photographie en rendant souvent hommage à son histoire par la reprise d'appareils précurseurs des systèmes actuels, mais elle subvertit en même temps son fonctionnement par diverses stratégies qui impliquent une subjectivité.

Serge Bérard

Geneviève Cadieux elaborates on the condition of the gaze where image, system of representation and spectator are closely interwoven. Her installations summon multiple references to the histories of painting, photography and film, and, in their representation of women, evoke notions of sexuality, voyeurism, and power. Whether the images are archaic and charged with historical connotations, or portraits of anonymous, contemporary subjects, or even a juxtaposition of the two, women are subjected to a mechanical representational apparatus, alternately revealing consent to being objectified and resistance to the authority of the photographic system. The artist's attitude oscillates between modesty and respect for the subject on the one hand, and exposing the inherent violence and voyeurism of the photographic image on the other. A similar ambiguity governs her relationship to the photographic system; often working with equipment that predates modern apparatus, the artist pays homage to the history of photography, while at the same time inferring a subjectivity by deploying various strategies to subvert its function.

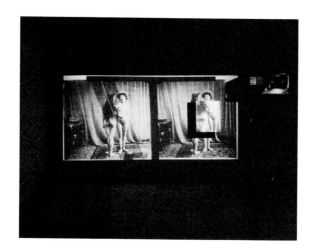

Ravissement, 1985
Vue partielle de l'installation; projecteur, support,
lentille courte focale, acrylique
234 x 500 cm
Photographie de l'artiste

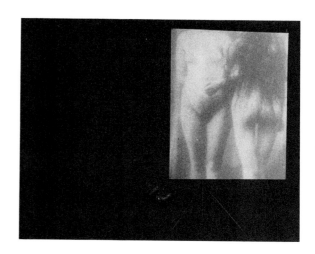

Ravissement, détail, 1985
Cadre d'acrylique suspendu
50 x 60 cm
Photographie de l'artiste

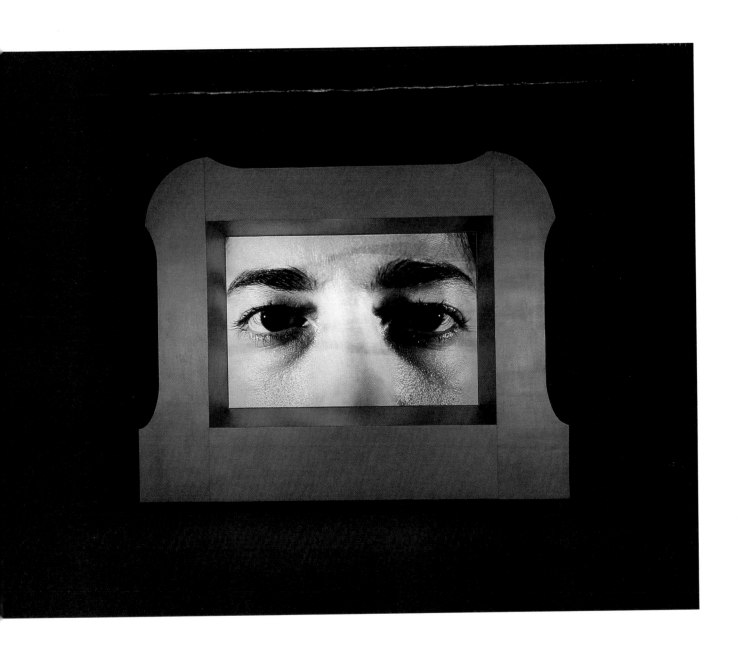

Geneviève Cadieux
The Shoe at Right Seems Much Too Large, 1986
Détail de l'installation
243 x 304 x 182 cm
Photo: Louis Lussier

61

PHILIPPE CAZAL 1948, La Redorte, France

L'ARTISTE DANS SON MILIEU

L'IDEE RIDICULE

GÉRARD COLLIN-THIÉBAUT 1946, Lièpre, France

LA DANSE AVEC LE DIABLE

"Vingt-quatre projecteurs sur leur tabouret, placés le long d'un espace circulaire, à 60 cm environ l'un de l'autre.

image: les 24 images envoyées par les 24 projecteurs nous montrent le Soleil de minuit. Chaque image correspond à une photographie prise à chaque heure à partir de 6 heures du matin, au même endroit. L'objectif, d'abord orienté à l'est, puis au sud (hauteur maximale du soleil au-dessus de l'horizon), et ensuite vers l'ouest et le nord, a décrit en 24 heures une rotation complète permettant d'embrasser tout l'horizon du lieu. Une telle photographie ne peut être réalisée qu'en un lieu situé au-delà du cercle polaire. Images rephotographiées.

son: montage de 12 minutes de la *Valse de l'Empereur*, Opus 437 de Johann Strauss, fils, et la *Transcription* de cette même valse par Arnold Schoenberg, chacun jouant à tour de rôle, de sorte qu'à eux deux ils forment la valse entière (12'08).

LA DANSE AVEC LE DIABLE

"Twenty-four projectors mounted on stools, placed around a circular space at intervals of approximately 60 cm.

Image: the 24 images emanating from the 24 projectors are of the Midnight Sun. Each image corresponds to a photograph taken every hour at the same location, starting at 6 o'clock in the morning. Beginning with the east, then the south (the sun's maximum height from the horizon), and finally toward the west and north, the lens has described a complete 24-hour rotation of the surrounding horizon. Only sites beyond the polar circles can be photographed in this manner. The images have been rephotographed.

Sound: a 12-minute edit of The Emperor's Waltz, *Opus 437*, by Johann Strauss, the younger, and Arnold Schoenberg's Transcription of this same waltz are played, one after the other, so that these separate sections from the two works form the entire waltz (12:08).

La danse avec le diable, 1985-86
Photographies de l'artiste

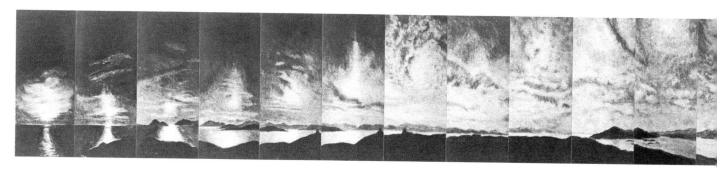

image: sur chaque partie de Johann Strauss, fils, les 24 projecteurs présentent, dans l'ordre, les 24 images du Soleil de minuit; sur chaque partie de Schoenberg, les magasins circulaires des projecteurs se mettent à danser et nous montrent les images du Soleil de minuit dans un ordre aléatoire.

son: *La Valse de l'Empereur*, Opus 437, Johann Strauss, fils, Orchestre Johann Strauss de Vienne, direction Willi Boskovsky. *La Valse de l'Empereur, Transcription* d'Arnold Schoenberg, Boston Symphony Chamber Players.

Ainsi de suite, pendant longtemps."

Image: during each of the Johann Strauss sections, the 24 projectors show the 24 images of the Midnight Sun in sequence; during each Schoenberg section, the projectors' circular slide-trays begin to dance, projecting images of the Midnight Sun in random order.

Sound: The Emperor's Waltz, *Opus 437 by Johann Strauss, the younger, performed by the Johann Strauss Vienna Orchestra, under the direction of Willi Boskovsky.* The Emperor's Waltz, Transcription *by Arnold Schoenberg, the Boston Symphony Chamber Players. And so on, for a long time."*

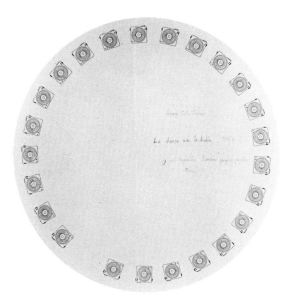

Gérard Collin-Thiébaut
La danse avec le diable, 1985-86
Dessin de l'installation
Surface de l'installation: 61 m², environ
Photo: Louis Lussier

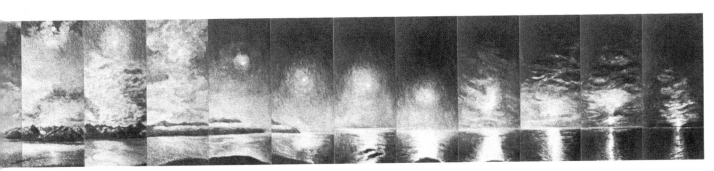

MARIE-ANDRÉE COSSETTE

1946, Saint-Hyacinthe, Québec, Canada

"Je vise principalement à exprimer l'aspect essentiellement dramatique de la vie: ce réel quotidien où se rencontrent amour, travail et mort. Cette préoccupation prend source dans mon vécu et dans celui de mes proches comme dans celui d'autres personnes que je ne connais pas mais dont j'entends parler. Elle s'exprime par des formes qui portent le nom de cadran et de spirale. Elle s'exprime par des couleurs qui portent le nom de bleu, de magenta et de doré. Elle s'exprime par la lumière et elle porte le nom d'holographie."

"My primary aim is to express an essentially dramatic aspect of life: the everyday reality where love, work, and death intersect. This preoccupation has my own experience, and that of people I am close to, as its source, but it also springs from people I do not know and whom I overhear. It is expressed in forms bearing the names dial and spiral, and in colours with the names blue, magenta, and gold. It is expressed in light and is called holography."

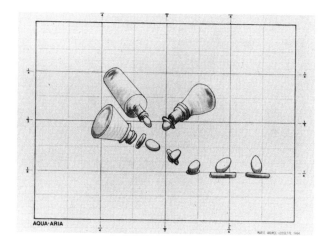

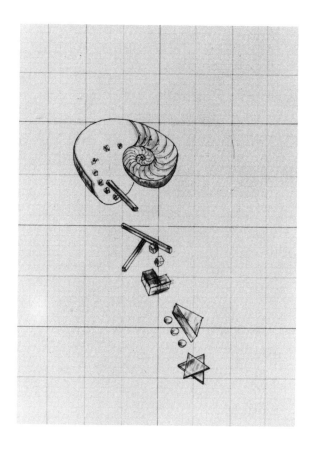

Aqua/Aria (l'eau et l'air), 1984
Esquisse de travail utilisée pour l'enregistrement en laboratoire
Photographie de l'artiste

Aqua (l'eau), 1984
Esquisse de travail utilisée pour l'enregistrement en laboratoire
Photographie de l'artiste

Marie-Andrée Cossette
Aqua (l'eau), 1984
Hologramme "arc-en-ciel", à fente, de Benton
Collaborateurs: John R. Burns et Sam Moree
31,9 x 41,9 cm: tirage 3/6
Photographie de l'artiste

LUC COURCHESNE 1952, Saint-Léonard d'Aston, Québec, Canada

"J'ai commencé à regarder sérieusement la lumière à partir du moment où j'ai cru comprendre que la nuit était, en substance, le fruit de son absence. J'ai fini par en conclure que le facteur le plus important dans le perception visuelle devait être, non pas la nature spécifique de ce qu'on regarde, mais plutôt la mesure de sa visibilité.

"Or il me semble étonnant que nos systèmes de valeurs reposent si lourdement sur la lumière et que l'on assiste, sans trop réagir, à la désintégraiton rapide de la nuit alors qu'elle est le plus puissant moteur de l'imaginatire. À la recherche constante d'évidences visuelles, nos sociétés en sont venues à utiliser une bonne part de leurs ressources pour développer des techniques de production d'images toujours plus perfectionnées, et ce, au point où le progrès et la capacité de produire des images semblent inexorablement liés. C'est ainsi que la noirceur est sacrifiée au besoin de croire conjugué avec l'incrédulité. À mon avis, c'est une attitude dangereuse.

"La nuit est vitale et il faut en restaurer la noirceur. L'investir, c'est protéger l'imaginaire

"I began to seriously consider light the moment it occurred to me that night was, in essence, the issue of its absence. I concluded that the most important factor in visual perception is not the specificity of what is seen, but the extent to which it is visible.

Therefore, it seems surprising that our value systems depend to such a great extent on light and that we are witnessing, without reacting, the rapid disintegration of the night when it is the most powerful engine of the imaginary. In a constant effort to provide visual evidence, modern societies have come to use a great part of their resources to develop increasingly sophisticated techniques for producing images, to the point where progress and the capacity to produce images seem inextricably linked. It is thus that darkness is sacrificed to the need to believe, coupled with incredulity. In my opinion, this is a dangerous attitude.

Night is vital and we must restore darkness, laying siege to it, to protect the imaginary and to permit the future. Someday, perhaps, when fear of the void has ceased and when the pursuit of images has become futile, we will learn

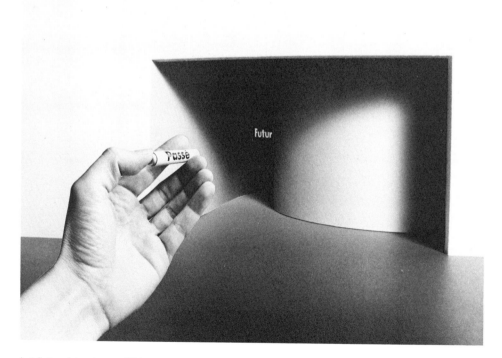

Installation claire-obscure, 1986
Maquette de l'installation
Photo: Yves Binette

et permettre le futur. Un jour, peut-être, lorsque la peur du vide aura cessé et que sera devenue inutile la course aux images, nous apprendrons à fermer l'oeil pour appréhender le monde, et à dire ombre au lieu de lumière, pour signifier voir.

"L'Installation claire-obscure se sert de la lumière et de l'ombre comme métaphore du passé et du futur. Parce qu'elle met l'accent sur l'invisible, elle représente un défi au monde vu, devenu pour nous une icône de la réalité. C'est une tentative pour déchirer le tissu de la réalité visible, et rendre possible le futur."

to close our eyes to apprehend the world, and to say 'shadow,' instead of 'light,' when we mean 'to see.'

L'installation claire-obscure (1986) uses light and darkness as a metaphor for past and future. Because of its emphasis on the invisible, it is something to challenge a seen world which, in our opinion, has become an icon for reality. It is an attempt to tear open the fabric of the visible reality, and make the future possible."

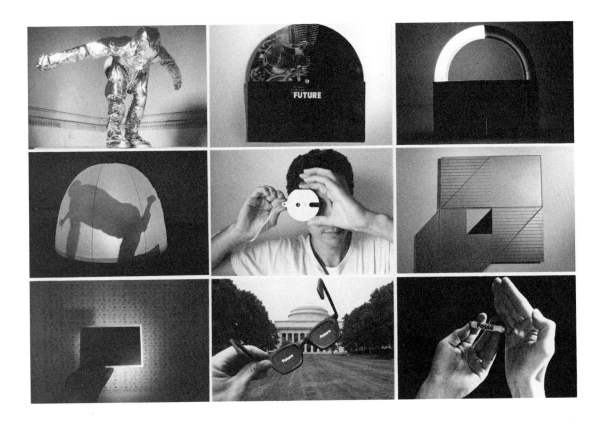

Combinaison à l'épreuve de la lumière, 1982
Mylar et satin noir
Photo: Robert Rosinsky

Roulette passée et future, 1983
Extrait d'un essai vidéographique sur la lumière, la noirceur et la réalité
Photographie de l'artiste

Lampe claire-obscure, 1983
Tube fluorescent circulaire et rotatif dans un boîtier d'acrylique peint
30,4 x 30,4 x 5,2 cm
Photographie de l'artiste

Dôme clair-obscur, 1984
Structure gonflée en nylon translucide
182 cm de haut, 304 cm de diamètre
Photographie de l'artiste

Évaluateur clair-obscur, 1984
Feuille d'acrylique peinte
7,6 cm de diamètre
Photo: Robert Rosinsky

Modèle clair-obscur, 1984
Feuille d'acrylique peinte
20,3 x 20,3 x 1,2 cm
Photographie de l'artiste

Carte de bons voeux (Solstice d'hiver), 1983
Impression à l'offset sur carton
10,1 x 15,2 cm
Photographie de l'artiste

Lunettes pour voir le futur, 1984
Lunettes de sécurité peintes, lettres transférées à sec
13,3 x 5 x 3,1 cm
Photographie de l'artiste

Lampe de poche pour voir le passé, 1986
Tube de carton imprimé à l'offset, lampe tungstène, pile 3A, ressort métallique
1,1 x 4,1 cm
Photo: Yves Binette

JACQUELINE DAURIAC 1945, Tarbes, France

Une situation optique pure, couleurs Polaroïd, spectateurs, cent jours

"Dans ce dispositif, jeu entre les projections de couleurs et les spectateurs, ceux-ci se trouvent dans un rapport à la réalité du moment: 720 couleurs simultanées dans un mouvement infini.

Est mis en jeu ici le dépassement des situations métaphoriques au profit de liaisons pures, purifiées de l'effet de production, pour au travers de l'abandon de l'image ou de l'histoire, mettre *en lumière* dans le moment même, la constitution d'un nouveau type de relation au sujet."

A pure optical situation – colour Polaroids, viewers, a hundred days

"In this arrangement, an interplay between colour projections and themselves, viewers become connected to the reality of the moment: 720 simultaneous colours in infinite movement.

What comes into play here is the surpassing of metaphorical situations in favour of pure connections, purified of the effect of production in order to bring to light in the actual moment, by abandoning the image or history, the constitution of a new type of relationship to the subject".

Polaroïds, Flowers and Light, 1985
Photographie, fleurs et lumière
180 x 120 cm
Collection: Van Abbemuseum, Eindhoven, Pays-Bas
Photographie de l'artiste

Jacqueline Dauriac
Cercle jaune avec femme en rouge, 1985
Acier laqué au four, plexiglas et néon
Costume rouge: Dorothée Bis
Cercle: 120 x 19 cm
Photo: Olivier Bucourt

DAN FLAVIN 1933, New York, États-Unis

Les installations de Dan Flavin se présentent sans symbole ni métaphore. Les néons demeurent des objets industriels fabriqués en série et dépourvus de toute intention artistique; leur placement n'obéit apparemment qu'à la logique de leur forme et aux caractéristiques essentielles d'un espace intérieur contemporain. La disposition simple, et les dimensions à l'échelle humaine font que les installations sont aisément transposables en tout lieu, que leur contenu est communicable à tous, mais aussi qu'elles possèdent, malgré l'évidence factuelle du mode de présentation, de fortes connotations anthropologiques.

Flavin provoque pourtant, comme par ironie, l'attention du spectateur par des effets lumineux qui sont à la fois visuellement fascinants et vite monotones, et dont l'interprétation ou bien s'épuise rapidement, ou bien s'ouvre sur un questionnement de ses propres possibilités.

Dan Flavin's installations exist with neither symbol nor metaphor. The neons remain a series of manufactured industrial objects, devoid of any artistic intention; their placement appears merely to conform to the logic of their form, and to the essential characteristics of any contemporary interior space. Because of their simple configuration and dimensions to human scale, these installations are easily transposable to any interior; their content is readily accessible to everyone, yet, despite the factual evidence of their mode of presentation, they also exhibit strong anthropological connotations.

Nonetheless, as if by irony, Flavin provokes the viewer's attention by employing light effects that are at first visually fasincating but that quickly become monotonous, and whose interpretation quickly exhausts itself or leads to an interrogation of its own possibilities.

Dan Flavin
Untitled (to Barnett Newman), 1973
Fluorescents jaune, rouge, bleu
20,3 x 50,8 cm
Prêt: Galerie John A. Schweitzer, Montréal
Photo: gracieuseté de Leo Castelli Gallery, New York,
et de la galerie John A. Schweitzer, Montréal

JOHN FRANCIS 1954, Montréal, Québec, Canada

"Dans mon travail, la lumière se veut une métaphore de la conscience. La totalité de la conscience est représentée par la lumière blanche, alors qu'un fragment de celle-ci, une couleur, suggère un point de vue ou une nuance particulière. Les constructions expriment les limites entre l'intuition pénétrante et la vision excentrique ou entre idéalisme et hallucination. La manière dont un geste de néon, ou une lumière erratique, s'associe à d'autres matériaux crée une fusion alchimique de matière, lumière, couleur, geste et événement qui évoque une échappée hors des contingences de ce monde. Encore une fois de façon métaphorique, quiconque confronte ces pièces se retrouve dans les recoins obscurs de la conscience."

"In my work, light is intended to be seen as a metaphor for consciousness. Consciousness as a whole is represented by white light, while a fragment of it, colour, suggests a particular hue or perspective. The constructions express the borderlines between deep insight and eccentric vision, or between idealism and hallucination. The way a neon gesture, or an erratic light, becomes associated with other materials creates an alchemical fusion of matter, light, colour, gesture, and event, evoking a state of otherworldliness. Again metaphorically speaking, whoever confronts these pieces finds himself in the dark recesses of the mind."

Alchemical Bird, 1985
Néon, acier, fibre de verre, rayonne
290 x 152 cm
Photographie de l'artiste

John Francis
Alchemical Animal, 1985
Néon, acier, fibre de verre, rayonne
152 x 213 cm
Photographie de l'artiste

ELDON GARNET 1946, Toronto, Ontario, Canada

L'INDUSTRIE ET LA LUMIÈRE

"Je l'observais alors qu'il se tenait sur le coin, attendant le feu vert. Un filet de sueur apparut sur sa lèvre supérieure; son porte-documents, un fardeau à porter. Je l'ai vu manquer son feu, attendre un autre cycle. Traverser la rue, une automobile lui frôlant dangereusement la cuisse. Passer les lourdes portes de métal et de verre de la banque. Le directeur du prêt n'était pas libre, s'il voulait bien s'asseoir. Personne ne lui offrit à boire. Il faisait plus frais sous les néons que sous le soleil de midi. Il essaya de paraître calme, comme s'il était tout à fait naturel d'attendre une demi-heure, quarante-cinq minutes, une heure. L'attente aurait été confortable si seulement le système d'air climatisé n'était pas tombé en panne. Le fauteuil recouvert de vinyle et le tissu synthétique lui collaient à la peau. Il se promit qu'il ne supplierait pas, mais si vous pouviez me prêter seulement 20 000$ de plus, considérez-le comme une protection sur les 100 000$ de départ, et je vous garantis . . . Mais le directeur hocha simplement la tête et tapota la feuille de son crayon. Je vais être ruiné. Soixante jours, c'est tout ce dont j'ai besoin. Mais. Non. Le directeur tenta d'ajouter une remarque optimiste, au moins vous avez toujours votre maison. Non, elle est déjà vendue. Ruiné. Ceci n'a rien de personnel."

LIGHT INDUSTRIAL

"I watched him stand at the corner waiting for the light to change. A line of sweat crossed his upper lip, his briefcase a burden to carry. I watched him miss the light, wait for another cycle. Crossing the street, a car precariously close to his thigh. Entering the bank, through heavy metal and glass doors. The loans manager was busy, would he care to take a seat. No one offered him a drink. The fluorescent lights were cooler than the midday sun. He tried to look relaxed, as though it was only natural to sit for a half hour, forty-five minutes, an hour waiting. It would have been comfortable if only the air conditioner hadn't broken down. The vinyl chair and synthetic cloth sticking to his skin. He promised himself he wouldn't beg, but if only you can loan me $20,000 more, consider it protection on your original $100,000 and I guarantee . . . But the manager merely shook his head and made short jabs at the spread sheet with his pencil. I'll be ruined. Sixty days is all I need. But. No. The manager tried to add an optimistic note, at least you'll still have your house. No, it's already sold. Ruined. But it's nothing personal."

Light Industrial, 1986
101,6 x 101,6 cm (chacune)
Photographie de l'artiste

Eldon Garnet
Light Industrial, 1986
101,6 x 101,6 cm
Photographie de l'artiste

MARVIN GASOI 1949, Montréal, Québec, Canada

"La lumière est devenue le langage visuel avec lequel je représente l'infrastructure inconsciente de la matière. Ce médium est utilisé pour animer la structure interne des objets, leurs états et leurs interactions. La nature de la lumière peut servir à franchir cette zone brumeuse entre l'ambiguïté du rêve et les structures rigides de la mémoire. La limitation de nos sens implique une perception atténuée de la réalité. La lumière est le médium idéal pour explorer et révéler l'essence ésotérique de toute matière."

"Light has evolved as a visual language with which I depict the unconscious substructure of matter. This medium is used to animate the inner fabric of objects, states of being, and interactions. The nature of light can serve to bridge that twilight between a dreamlike ambiguity and the more crystallized structures of memory. The limits of our physical sense infer a tenuous perception of reality. Light is the ideal medium to explore and reveal the esoteric essence of all matter."

Untitled #3, 1985
Cibachrome
50 x 60,9 cm
Photographie de l'artiste
Gracieuseté de la galerie Art 45, Montréal

Marvin Gasoi
Radiare, 1985
Cibachrome
50 x 60,9 cm
Collection: Chase Manhattan Bank, New York
Photographie de l'artiste
Gracieuseté de la galerie Art 45, Montréal

JUAN GEUER 1917, Soest, Hollande

"Pour pouvoir "expliquer" la lumière, les gens ont créé image par-dessus image: vêtement ou émanation divine, et subséquemment, rayons, particules, ondes, champs et photons, paradoxes et probabilités. On ne peut faire la lumière sur la lumière pour voir ce qu'elle est, car ces "modèles" sont devenus de plus en plus subtils et complexes. À chaque fois, la lumière a nié qu'elle était ce que les gens la soupçonnaient d'être, et il fallait plus d'imagination créatrice pour satisfaire à ses exigences. Nous étions fiers de pouvoir mesurer sa vitesse fantastique, et ses variations, selon le médium dans lequel elle pénètre. Mais elle nous a alors confondus et a frustré notre imagination lorsqu'elle insista pour conserver une vitesse constante, quel que soit le mouvement du corps émetteur, et elle a réussi à changer notre perception de l'univers. L'éther, l'idole de la mystique bourgeoise il y a soixante-dix ans, se révéla insuffisant et dû céder sa place à l'équilibre du paradoxe onde-particule; l'image acceptée maintenant est celle d'une "événement", et nous parlons d'un "horizon d'événement" lorsque la lumière s'arrête soudainement dans sa course.

Qu'on laisse maintenant les mystiques radoter sur les "ondes fantômes". Je préfère l'activité des faiseurs d'images. Ils savent que nous sommes encore dans le noir à propos de la lumière."

"In order to 'explain' light, people have created image upon image: divine emanation or garment and then rays, particles, waves, fields, and photons, paradoxes and probabilities. We can't shine light into light to see what it is, as these 'models' have become increasingly subtle and complex. Time and again light has negated that it was what people suspected it to be and a more creative imagination was needed to satisfy the requirements of light. We were proud that we could measure its tremendous speed, and speed differences, depending on the medium it penetrated. But then it startled and frustrated our imagination when it insisted on the constancy of its speed independent of the motion of the emitting body, and it managed to change our perception of the universe. Ether, the idol of the bourgeois mystic some 70 years ago, turned out to be too clumsy and had to make way to the precarious balancing act of the wave-particle paradox; the accepted image now is that of an 'event,' and we speak of an 'event horizon' when light stops dead in its tracks.

Let the mystics now drool about 'ghost-waves.' I prefer those responsive image makers. They know we are still in the dark about light."

Hollands Grijs (Dutch Grey), détail, 1985
Feuille polarisante, construction de bois, plexiglas et miroir
116,8 cm de haut
Collection: Musée Boymans van Beuningen, Rotterdam
Photographie de l'artiste

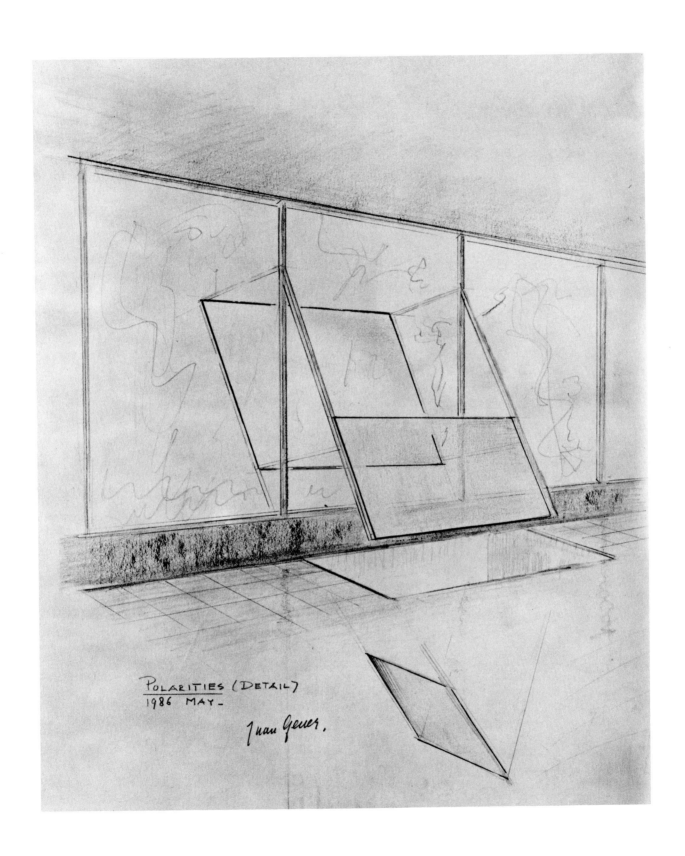

POLARITIES (DETAIL)
1986 MAY -

Juan Geuer.

Juan Geuer
Polarities, 1986
Dessin de l'installation
Photo: Louis Lussier

MICHAEL HAYDEN

1943, Vancouver, Colombie Britanique, Canada

GLOW/FLOW SPIRAL

"Au début des années soixante-dix, en plus d'effectuer des recherches sur l'utilisation de dispositifs de contrôle électroniques pour programmer mes "sculptures lumétriques", j'essayais de trouver une solution à la difficulté de faire des sculptures qui ne dépendent pas d'un *socle* pour être supportées, présentées ou, pire, glorifiées. Il m'a fallu quatre années pour perfectionner les techniques qui permettraient à mon travail "d'échapper aux tristes contraintes terrestres", une fois que j'avais conclu que les "sculptures de lumière" devaient avoir une apparence éthérée, sinon de fresque.

Glow/Flow Spiral est l'une des premières pièces qui utilisent un nouveau type de dispositif de contrôle à décharge linéaire pour illuminer le néon le long des tubes de verre. La forme hélicoïdale permet à ce curieux phénomène d'effectuer une ondulation et une rotation le long de l'axe central de la sculpture."

GLOW/FLOW SPIRAL

"During the early seventies I was not only exploring the use of solid-state control (TTL) devices to program my 'Lumetric Sculptures,' but I was further addressing a need to make sculptures that were not dependent upon a pedestal *for their support, presentation, or, at worst, glorification. It took four years for me to evolve the techniques that would allow my work to 'have slipped the surly bonds of earth,' once I had realized that 'sculptures in light' should be ethereal, if not alfresco.*

Glow/Flow Spiral *is among my first pieces that explore a newly developed solid-state controller that linearly discharges the illumination of the inert 'neon' gas down the glass tube's length. The helix shape allows this intriguing phenomenon to slowly undulate/ rotate around the central axis of the sculpture.*"

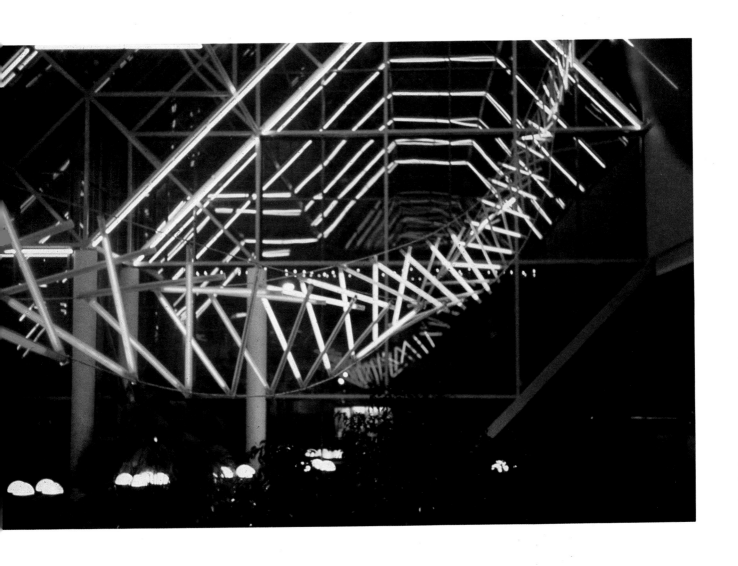

Michael Hayden
Trikha, 1983
Sculpture lumineuse de 96 couleurs
342 m de long
Collection: Hyatt Regency Hotel, Buffalo, New York
Photo: Kristina Lucas

TIM HEAD 1946, Londres, Angleterre

NOTES POUR L'INSTALLATION *WINTER*

"Un arbre, prélevé de son milieu naturel, suspendu à l'envers dans une pièce,

une image en négatif, des branches blanches sur un fond noir,

le squelette d'un arbre, baigné de la lueur artificielle d'une lumière froide et nocive,

un "hiver nucléaire", la nature contaminée."

NOTES ON THE INSTALLATION WINTER

"A tree, uprooted from nature, suspended inverted in a room,

a negative image, white branches against a dark background,

a skeletal tree bathed in the unnatural glow of a cold harmful light,

a 'nuclear winter,' contaminated nature."

Collisions in Empty Space, 1983
Installation
Le Musée provincial, Hasselt, Belgique
Photo: Stefan Kellens

The Tyranny of Reason, 1985
Installation
Photo: Chris Davies

84

Tim Head
Winter, 1984
Installation, arbre, peinture lumineuse
365 cm de haut
Photo: John Cass

NAN HOOVER 1931, New York, États-Unis

"Je suis intéressée par la lumière et le mouvement, qu'il s'agisse de mouvements aléatoires, tels ceux du public qui se déplace dans l'installation, ou de mouvements contrôlés, comme lors d'une performance où le lent déplacement des corps à travers la lumière crée de subtils changements de perceptions et quelquefois des changements dramatiques au niveau des dimensions. Dans les deux cas, je voudrais espérer que ce contraste, ou celui entre l'échelle humaine et son/ses ombre(s), créent un dialogue entre la lumière et le spectateur. Ces contrastes me rappellent que nous sommes en miniature par rapport à la nature."

"I am interested in working with light and movement, either random movement such as the public moving within an installation or the controlled movement, as in a performance, where the bodies' slow movement through light creates subtle changes in perception and sometimes dramatic changes in dimensions. In both I would hope that this contrast or that of the human scale and its shadow(s) creates a dialogue between the light and the viewer. These contrasts remind me that we are in miniature compared to nature."

Wat Amsterdam Betreft . . . As far as Amsterdam goes . . ., 1985
Installation, lumière-vidéo
Stedelijk Museum, Amsterdam
Photographie de l'artiste

Nan Hoover
Wat Amsterdam Betreft . . . As far as Amsterdam goes . . ., 1985
Photographie de l'artiste

PAUL HUNTER 1954, Québec, Québec, Canada

"Mes sculptures, de longues boîtes en bois verni, sont des pièges à lumière. Le spectateur perçoit l'événement sculptural qui s'y produit à l'intérieur par l'entremise d'une série d'orifices percés le long de la face frontale: la lumière comme matériau malléable, qui tombe d'en haut, qui inonde et définit des espaces urbains anonymes, suggérant un mouvement spatio-temporel, créant une ambiance dramatique; la lumière comme fragile moment de perception, le spectateur comme voyeur."

"My sculptures, long boxes of varnished wood, are light traps. The spectator perceives the sculptural event within, through a series of viewing holes along the front of the box: light as a flexible, malleable material, falling in from above, filling and defining anonymous urban spaces, suggesting spatial and temporal movement, creating drama; light as a fragile moment of perception, the spectator as a voyeur."

Urban Night, détail, 1985
Bois, plastique, papier et acrylique
6,2 x 60 x 182 cm
Photographie de l'artiste

New York, détail, 1986
Bois, plastique, papier et acrylique
6,2 x 60 x 182 cm
Photographie de l'artiste

Paul Hunter
Artist's Studio, 1985
Bois, plastique, papier et acrylique
6,2 x 60 x 182 cm
Photographie de l'artiste

KRISTIN JONES 1956, New York, États-Unis et ANDREW GINZEL 1954, New York, États-Unis

"Ad Infinitum est perçue à travers une ouverture dans un mur. Elle existe dans le vide. La première couche de l'oeuvre est constituée d'une toile délicate, faite de fils translucides tendus horizontalement qui forment une barrière entre la galerie et l'espace inconnu qui s'étend au-delà. À l'arrière des fils, un mince pendule oscille d'avant en arrière. Plus loin, un réservoir de verre se remplit et se vide continuellement: la marée montante et descendante. Des javelots d'un rouge vif et des sphères flottantes sont animés par les changements du niveau de l'eau, et ils dansent dans une lumière vive projetée d'en haut. Juste derrière, une mince ligne noire et blanche se déplace en diagonale de droite à gauche à travers la scène. Un rideau de soie agité par un souffle apparaît comme de la vapeur tourbillonnante. La dernière couche est un volume de lumière changeante.

L'oeuvre est une superposition discrètement animée d'activités se déroulant simultanément: de la physique. Les mouvements réguliers de la marée et du pendule sont méditatifs. Les sphères et les javelots, entraînés par la marée, se déplacent en désordre, comme au hasard. Au-delà, le volume de la lumière s'étend à l'infini. Il y a un double sens de continuité et de mystère."

"Ad Infinitum *is seen through an aperture in the wall. It exists in a void. The first layer of the work is a delicate web of translucent threads strung horizontally. The threads are the barrier between the gallery and an unknown space beyond. Behind the threads is a slim pendulum swinging back and forth. Beyond is a glass tank which is constantly filling and emptying: the rising and falling tide. Bright red javelins and floating spheres are animated by the changing water level, and they dance in the bright light which beams down through the water. Just behind is a thin black and white line which moves at a diagonal from right to left across the scene. A layer of blowing silk appears to be billowing steam or vapour. The final layer is a volume of changing light.*

The work is an animated yet subtle layering of simultaneous activities: of physics. The regular movements of the tide and the pendulum are contemplative. The spheres and javelins, being subject to the tide, move at random, as if by chance. The volume of light beyond is infinite. There is a dual sense of continuum and mystery."

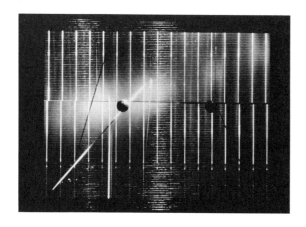

Ad Infinitum, 1985
Eau, verre, lumière incandescente, soie, fil élastique, pompes, jets, moteurs, minuterie, rhéostat, bois, plexiglas, plomb
Ouverture: 47,7 x 63,5 cm
Ensemble: 213,3 x 274,91 cm
Photo: T. Charles Erickson
Gracieuseté de Art Galaxy, New York

Seraphim, 1985
Eau, vapeur, lumières incandescentes, acier, nylon, sable, pigment, composantes électroniques, moteur, valves, plomb et or
426,7 x 548,4 x 152,4 cm
Photo: T. Charles Erickson
Gracieuseté de Art Galaxy, New York

Kristin Jones et Andrew Ginzel
"Art in the Anchorage," Creative Time
Brooklyn Bridge, New York City, 1986
Chute d'eau, acier, cuivre, aluminium, lumière incandescente,
pompes, moteur, sphère météorologique
1676 x 610 x 2591 cm
Photo: T. Charles Erickson
Gracieuseté de Art Galaxy, New York

DIETER JUNG 1941, Bad Wildungen, Allemagne

Les espaces holographiques de Dieter Jung produisent un phénomène pictural qui semble exister sans support et dans un espace sans perspective. Le côté illusionniste de l'holographie n'est utilisé que pour ses propriétés perceptuelles, en-deçà de toute production d'icône. La possibilité qu'offre l'holographie de produire des images qui paraissent tangibles et, sous certains angles, tridimensionnelles, tout en étant constituées d'un support immatériel, la lumière, sert ici à explorer les structures internes de tout fait pictural, c'est-à-dire, la nature de l'image elle-même et ses conditions de perception. Les images holographiques se présentent comme des structures fines soumises à des oscillations qui se veulent un écho aux interférences qui affectent la conscience dans l'acte de perception.

Serge Bérard

Dieter Jung's holographic spaces produce a pictorial phenomenon that seems to exist without support in a space without perspective. The illusionist side of holography is used only for its perceptual properties, and stops short of any production of icons. The possibility offered by holography of producing images that seem tangible and, from certain angles, three-dimensional, all the while comprised of the immaterial support of light, serves here as an exploration of the internal structures inherent to the pictorial, that is to say, the very nature of the image and its conditions of perception. The holographic images appear as delicate structures, subject to oscillations that echo the interferences affecting consciousness in the act of perception.

Illuminations, 1986
WLT Hologramme, Center for Advanced Visual Studies, M.I.T.
Photo: gracieuseté de l'artiste

Dieter Jung
Illuminations, 1986
WLT Hologramme, Center for Advanced Visual Studies, M.I.T.
Photo: gracieuseté de l'artiste

JON KESSLER 1957, Yonkers, New York, États-Unis

Les pièces mécaniques, les accessoires de théâtre, les bibelots bon marché tels qu'on en trouve dans les grands magasins, les statuettes religieuses ou exotiques, les accessoires de farces et attrapes, les articles ménagers qui composent les objets-tableaux animés de Jon Kessler fonctionnent avec de multiples effets de perspectives qui suggèrent autant de significations possibles. Cette machinerie apparemment futile, aux parties mouvantes et aux effets d'éclairage changeants, propose une lecture qui se déroule dans le temps et où le collage possède une valeur fortement métaphorique.

Rappelant les décors de restaurants chinois ou les paysages illusionnistes sous verre, les oeuvres oscillent constamment entre le mythe éternel et le mélodrame sans profondeur. L'art cinétique est ici asservi à des récits qui se déroulent comme une suite de saynètes qui nous racontent à la fois le retour cyclique du mythe et l'omniprésence de la pensée technologique. *Serge Bérard*

The mechanical parts, theatre accessories, bargain-basement knick-knacks, religious or exotic statuary, practical jokes and prank accessories, and household items that Jon Kessler's picture/objects are made of function with as many multiple-perspective effects as there are meanings. This apparently futile machinery, with its moving parts and changing lighting effects, proposes a reading that progresses in 'time' and where collage has a strong metaphorical value.

The works oscillate constantly between age-old myth and shallow melodrama, recalling the interiors of Chinese restaurants and illusionistic landscapes under glass. Here, kinetic art is subservient to an ongoing narrative that, as in a series of short plays, speaks of the cyclical recurrence of myth and the omnipresence of technological thought.

B.C., 1985
Construction avec matériaux mixtes, lumières et moteurs
Multiple tirage de 6
101,6 x 40,6 x 43,1 cm
Photo: Zindman/Fremont
Gracieuseté de Luhring Augustine & Hodes Gallery, New York

Jon Kessler
B.C., 1985
Construction avec matériaux mixtes, lumières et moteurs
Multiple tirage de 6
101,6 x 40,6 x 43,1 cm
Photo: Zindman/Fremont
Gracieuseté de Luhring Augustine & Hodes Gallery, New York

HOLLY KING 1957, Montréal, Québec, Canada

"Je m'intéresse à la tension qui existe entre la visibilité de l'artifice et l'illusion qui est engendrée. Lorsque l'artificiel assume le statut du crédible, on expérimente alors une projection dans l'imaginaire. La lumière que j'utilise pour animer les scènes agit comme catalyseur dans le déplacement du construit vers l'onirique.

Dans les "paysages d'eau", une lumière inquiétante jaillit de sources inconnues, et change les différents éléments, évoquant des mondes illuminés de résonances psychologiques et symboliques. Je voudrais que ces scènes nocturnes, et les événements mystérieux qui s'y produisent, provoquent une réaction qui aille au-delà du subjectif."

"I am interested in the tension that exists between the visibility of artifice and the generated illusion. When the artificial assumes the status of the believable one experiences a projection into the imaginary. The light I use to animate the sets is the catalyst for the shift from the constructed to the oneiric.

In the waterscape pieces, an uneasy light issuing forth from unidentified sources transforms different elements, evoking worlds illuminated by symbolic and psychological resonances. I would like these nocturnal scenes and their mysterious events to incite a response that extends beyond the realm of the personal."

Mysterious Lights and the Drowned Soul, 1985
Photographie en noir et blanc
122 x 163 cm
Collection: Musée d'art contemporain de Montréal
Photographie de l'artiste

Holly King
Adrift, 1986
Photographie en noir et blanc
122 x 185 cm
Photographie de l'artiste
Gracieuseté de la galerie John A. Schweitzer, Montréal

BERTRAND LAVIER 1949, Chatillon-sur-Seine, France

Les oeuvres de Bertrand Lavier se proposent comme des énoncés qui multiplient les équivoques autour des conditions d'existence de l'oeuvre d'art. En projetant en loop sur un mur l'image filmée en plan fixe d'un tableau "que l'on peut trouver dans un musée", l'artiste interroge autant l'acte de contemplation, ici subverti par les sautillements de l'image, que la pérennité de l'oeuvre. Et lorsqu'il superpose à une oeuvre de musée la projection d'une diapositive de celle-ci, il redouble la représentation sur elle-même, perturbant son effet coloristique, et fait du spectateur un intrus si d'aventure il s'interpose entre l'oeuvre et sa projection. La fonction de représentation de la peinture est aussi exprimée par son envers, le recouvrement, quand Lavier peint d'acrylique richement texturé la surface d'un mur sur lequel il fixe ensuite des lampes qui servent à éclairer des tableaux, entrechoquant ainsi l'objet mur et l'objet peinture, dont les limites respectives deviennent indécidables.

Serge Bérard

Bertrand Lavier's works are intended as statements that compound ambiguities surrounding the notion of the work of art. By projecting onto a wall a film-loop of a painting 'that can be found in a museum,' an image taken with a fixed camera, the artist examines as much the act of contemplation, here subverted by jumps in the image, as the work's timelessness. And when he superimposes a slide of the work onto the museum work itself, he turns the representation in on itself, disrupting its colouristic effect, making the spectator an intruder should he or she venture between the work and its projection. When Lavier paints a wall surface with a richly textured acrylic, the role of representation of a painting is expressed by its opposite, that of strictly covering; he then arranges lights used to light paintings, and the wall-object and painting-object clash, so that their respective limits then become indiscernable.

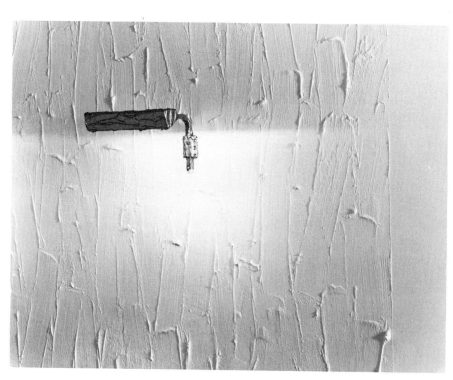

Picture Light, 1983
Détail de l'installation: Le Consortium, Dijon
Gracieuseté de la galerie Durand-Dessert, Paris

Bertrand Lavier
Cubist Movie, 1984
Installation au Kunsthaler, Berne
Photo: Rolland Aellig

ANGE LECCIA 1952, Minerviu, Corse, France

Avec Ange Leccia, les objets sont soumis à un arrangement comme lorsqu'on organise une rencontre. La nature des objets réunis, moniteurs de télévision, projecteurs de cinéma, couplés à des briques, fauteuils et autres, est laissée intacte. Le travail qui s'effectue autour d'eux est celui d'un metteur en scène s'efforçant de créer le plus grand impact émotionnel possible. Les renvois au cinéma, et précisément à l'espace énergétique dégagé sur et autour de l'écran et qui préexiste à toute image, sont chargés de connotations psychologiques tournant autour de la conversation, du regard et de l'attention. Les moniteurs de télévision sont une autre stratégie pour faire entendre, à travers leur grésillement informe, le bruit de fond de l'image.

Serge Bérard

In Ange Leccia's work, objects undergo an arrangement similar to the organizing of an encounter. The nature of the assembled objects, television monitors, film projectors, attached to bricks, chairs, and so on, remain intact. The work conducted around them is that of a director endeavouring to create the greatest possible emotional impact. The references to film, and specifically to the energetic space unleashed on and around the screen, prefiguring any image, are charged with psychological connotations revolving around conversation, the gaze, and attention. The television monitors are another strategy to make us hear, through their ill-defined static crackling, the background noise of the image.

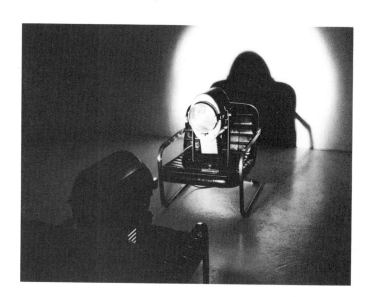

Arrangement "Conversation", 1985
Projecteurs, fauteuils
Collection: FRAC, Bourgogne
Photo: gracieuseté de la galerie Montenay-Delsol, Paris

Nuit Bleue
Arrangement 1986
Biennale de Venise
40 téléviseurs et leurs emballages, voile blanc
Photo: gracieuseté de l'Association française d'action artistique

Ange Leccia
Arrangement, 1986
4 téléviseurs et leur emballages
Sala 1, Rome
Photo: gracieuseté d'Ange Leccia et de la galerie Montenay-Delsol, Paris

GILLES MIHALCEAN 1946, Montréal, Québec, Canada

"C'est au chevet mourant du pesant, dans la plus grande noirceur, que je viens vous parler de la plus simple expression: la sculpture qui, comme l'annonçaient les sculpteurs du XIXième siècle, ne peut plus se passer de l'idée de séquence pour exprimer la complexité et la discontinuité des perceptions que nous avons de la réalité. Il m'apparaît que le mode de l'assemblage est le langage sculptural le plus juste pour reconstituer ces perceptions, dans la mesure où il fait de la sculpture une sorte d'acte transitoire entre le bégaiement et la tergiversation. Par cette façon de placer les éléments les uns à côté des autres, la sculpture en réalité n'est jamais finie; on peut toujours tricher. Il n'y a pas de repos parce qu'il n'y a pas de solutions définitives et l'on vit péniblement jusqu'à la dernière minute avec la croyance qu'un élément changé va tout faire basculer dans la vérité. Même celui qui regarde la sculpture a cette impression de mouvance, d'instabilité et de gratuité. Or, cette impression que tout est à l'ombre du hasard amènera le regardeur à questionner le cheminement du sculpteur, à refaire son chemin de Damas pour saisir enfin que chaque élément est vertébré. La sculpture est à faire: il n'y a pas de point de vue privilégié ni de vue d'ensemble. C'est une sorte de déroulement chargé d'éléments, ayant son jeu de pieds, ses économies, son agressivité; un déplacement rempli de sens uniques et de croisements à fouiller et dont la cohésion est comme celle qui réunit le voyageur à l'aéroport: de la tenue, de la valise, du rictus. Ainsi, le sujet se bâtit graduellement par des échanges et des chocs qui se produisent entre les éléments et par les symboles et les métaphores qu'ils portent, nous permettant à la fois de tourner autour du pot, d'être à l'intérieur, de le voir s'éclater et de le reconstruire miette à miette tel un archéologue aux prises avec une molaire et quelques phalanges. Mais la sculpture n'est pas pour autant une énigme à résoudre, puisque tous les signes sont là, à vif, butés dans chaque élément, créant des courants, des résistances, des tensions, des différences de pression où s'abîment nos idées toutes faites sur l'espace et nos habitudes d'aménagement.

Le regardeur devient le catalyseur d'une succession de plans en plongée, en contre-plongée, bâtis sur de brusques changements d'échelle, des renversements et des inversions. Il est soumis à un déplacement continuel et doit à sa vigilance et à une particulière attention aux menus détails l'effervescence d'une chimie entre les formes, les textures et les couleurs. Ce sont ces volumes et leur traitement qui construisent la lumière, car ils sont construits avec des matériaux qui agissent comme des buvards opposant la fluidité à la densité.

Ainsi, j'ai construit cette sculpture nommée *Le marais*. Un sujet que j'ai vu, à l'instar de Monet, comme une cavité de grandes impressions, celles-là qui ont

It is at burden's deathbed, in the deepest darkness, that I come to speak to you of the most simple expression: sculpture that, as the sculptors of the 19th century proclaimed, can no longer do without the notion of sequence to express the complexity and discontinuity of perceptions we have of reality. It seems to me that the manner of assembling is the most exact sculptural language to reconstruct these perceptions, to the extent that it makes sculpture become a sort of transitory act, poised between faltering on one hand, and humming and hawing on the other. It is in this way of placing elements one beside the other, that sculpture is never really finished: one can always cheat. There is no rest because there are no definitive solutions, and one lives with this difficulty to the last minute, believing that just one changed element can make everything topple over into truth. Even someone looking at a sculpture has this impression of mobility, instability, and gratuitousness. Now, this impression that everything falls under the shadow of chance will bring the viewer to question the sculptor's direction, to retrace his 'road to Damascus,' to finally understand that each element is vertebrate. Sculpture remains to be made; there is no privileged point of view nor a view of its entirety. It is a sort of course charged with elements, incorporating footwork, economy, aggressivity; a displacement full of one-way approaches, meanings, and junctions to sift through, whose cohesion is similar to that which reunites traveller and airport: the bearing, the suitcase, the grin. Thus, the subject gradually builds itself with exchanges and shocks that occur between the elements and by the symbols and metaphors it bears, permitting us at once to beat around the bush, to be inside it, to see it wither, and to reconstruct it piecemeal, much like an archaeologist would do with a molar and a few bone fragments.

But this doesn't necessarily make sculpture an enigma to resolve, since all the signs are there: raw, buttressing each element, creating currents, resistances, tensions, differing pressures where our ready-made notions of space, and our habitual ordering of objects in it, are undone. The spectator becomes catalyst of a succession of high-angle and low-angle perspectives, constructed on sudden changes in scale, reversals, and inversions. He or she undergoes a continual displacement and depends on vigilance and a particular attention to minute detail for the effervescent chemistry between forms, textures, and colours. Light is made up of these volumes and their treatment, for they are constructed with these materials that act as a blotter, pitting fluidity against density.

And this is how I came to construct this sculpture called Le marais. It is a subject I saw, after Monet, as a cavity of immense impressions, the same that marked my childhood in St. Rose.

marqué mon enfance à Sainte-Rose.

Le marais de mon enfance était une sorte de verrue accrochée à la rivière, qui de son oeil glauque regardait impassible passer le courant. Son allure d'assiette cassée se remarquait à la mise en scène incongrue des détritus qui y flottaient passivement au printemps. C'étaient des animaux morts, des chaloupes sans fond, des pièces de bois, des ballons venus des autres rives comme autant de messages qui ravissaient ma curiosité. Au milieu de l'été, des odeurs vertes s'installaient et le soleil tirait l'eau du lit laissant sur sa vase brune et luisante gigoter la malchance.

De grandes herbes recouvraient alors tout le marais et mon père et mon grand-père luttaient contre la cicatrisation du seul petit chemin d'eau ridé qui permettait à notre chaloupe d'aller vers le courant.

Voilà comment avec les outils de toujours, bien maladroitement, je soigne le pesant."

The marsh of my youth was a sort of wart attached to the river, that passively watched, from a blue-green eye, the current passing by. Its resemblance to a broken plate was distinguishable in the incongruous scenario of refuse floating lazily in springtime: dead animals, bottomless rowboats, pieces of wood, balls from other shores, like so many messages that would attract my curiosity. By midsummer, green odours would settle and the sun would draw the water from the riverbed, leaving misfortune to wriggle on its brown and shining sludge.

Tall weeds then covered the entire marsh and my father and grandfather would do battle against the closing of the only waterway allowing our boat access to the current.

And that is how, using the same tools as always, I nurture the burden.

Gilles Mihalcean
New York, 1986
Bois, verre, polyuréthane, plâtre, aluminium
Photo: Denis Farley

GÉRALD MINKOFF 1937, Genève, Suisse

OUTRE VERTU, Ô fiat lux!

"Ou comment la lumière vient à ceux qui ont du nez.

Ou la mise en relief que prend le désir dans le chassé-croisé du couple étant donné que le relief, chez le chien, vient moins des yeux que des narines: quand l'oeil sent, le nez regarde et que chez Dieu c'est le contraire, du moins chez les Anglo-saxons: *DOG PART TRAP GOD* (sûrement un coup de Lucifer, le porteur de lumière).

Donc, étant donné que la lumière est un piège pour celui qui renifle dans l'ombre, seule une réflexion sur le plus court chemin que suit cette lumière peut lui permettre d'en sortir pour faire couple avec son double (puisque "je est un autre") et dessiner la figure d'un X qui est précisément celle de l'inconnue (l'origine de la lumière) dans la question *LA NATURE RUT ANAL?*

P.S. pour rappeler que le retour revient au même, les trois parties en majuscules sont des palindromes.

Note: cet hommage stéréolfactif à la lumière a été réalisé une première fois pour la Biennale de Venise en 1970, mais sans le retour à l'autre qu'autorise le double circuit fermé vidéo.

Par ailleurs les chiens étaient là-bas de la même espèce, tandis qu'ici nous avons un basset d'Artoi et un boxer. Plus un miroir et un tube laser Hélium-Néon de 2 mW."

OUTRE VERTU, O fiat lux!

"Or how light comes to those who have a nose for it.

Or the deepening of desire in the comings and goings of the couple when you consider that a dog perceives depth less with the eyes than with the nostrils, when the eye smells, the nose sees, the opposite being the case for God, at least with Anglo-Saxons: *DOG PART TRAP GOD* (surely one of Lucifer's tricks, that bearer of light).

So, given that light is a snare for someone sniffing around in the shadows, only a reflection on the shortest path that light follows, can permit that person to emerge and couple with his or her double (since 'I is another') and mark out the figure X, the figure for the unknown (the origin of light) in the question *LA NATURE RUT ANAL?*

P.S. to recall that the return leads us back to the same point, the three capitalized sections are palindromes.

Note: this stereolfactory homage to light was first shown at the Venice Biennale in 1970, but without the return to the other that the double closed-circuit video allows.

The dogs there were of the same breed, whereas here we have a basset and a boxer. Plus a mirror and a 2 mW Helium-Neon laser tube".

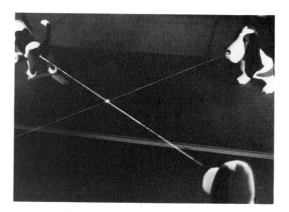

Le stéréodorat, 1970
Rayon laser, miroir, UV, un couple de chiens
Installation à la biennale de Venise en 1970
200 x 200 x 150 cm
Photographie de l'artiste

Vidéo comme vidéo, 1971
En hommage à l'obélisque, rayon lumineux et flux d'énergie
Performance et installation à la Galleria dell'Obelisco, Rome
200 x 200 x 600 cm
Photographie de l'artiste

Gérald Minkoff
Méduse, médium, mirage, en braille c'est égal, 1984
Pierre, moniteur, faisceau lumineux, système vidéo en circuit fermé
Installation à la Galerie de l'UQAM, Montréal
Photo: gracieuseté de l'artiste

BRUCE NAUMAN 1941, Fort Wayne, Indiana, États-Unis

Les récentes oeuvres en néon de Bruce Nauman possèdent le caractère affirmatif et instantané d'un slogan publicitaire, leurs couleurs criardes et la brutalité des images qu'elles offrent contrastent avec le chic auquel est associé le retour en vogue de cette forme d'affichage, et font se heurter les notions d'art et de culture populaire. Évoquant la sexualité et le pouvoir, les personnages représentés exécutent de façon obsessionnelle un rituel machinal et absurde, où les différentes parties du corps, s'allumant et s'éteignant à des rythmes différents, finissent, dans le déphasage qui en résulte, par devenir des entités abstraites et désincarnées.

Le spectateur est devant ces oeuvres à la fois un consommateur ébloui par des promesses de plaisirs, un observateur distancié par une objectivation des rapports humains, et un intrus faisant violence à l'intimité d'une scène. En donnant à un contenu privé l'éclat tapageur d'une réclame, Nauman inverse les notions d'intérieur et d'extérieur, et nous parle d'une société qui réduit la complexité des rapports humains à une série de sollicitations brèves. *Serge Bérard*

Bruce Nauman's recent neon works have all the affirmative and instantaneous character of an advertising slogan. Their loud colours and brutal images contrast with the chic associations surrounding this form of display, causing current notions concerning art and popular culture to conflict. Evoking sexuality and power, the characters depicted obsessively perform a mechanical and absurd ritual where different parts of the body light up and extinguish at different rhythms, throwing them out of sequence, so that they become abstract and disincarnate entities.

The viewer stands before these works, at once a consumer dazzled by the promise of pleasures, an observer distanced by an objectivation of human relationships, and an intruder doing violence to the intimacy of a scene. Nauman inverts our notion of interior and exterior by giving content of a private nature the obtrusive impact of an advertisement, and addresses a society that reduces the complexities of human relationships to a series of brief enticements.

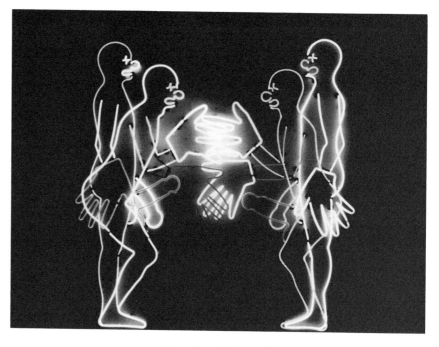

Mean Clown Welcome, 1985
Néon, tube de verre sur aluminium
182,8 x 208,2 x 30,4 cm
Photo: gracieuseté de Leo Castelli Gallery, New York

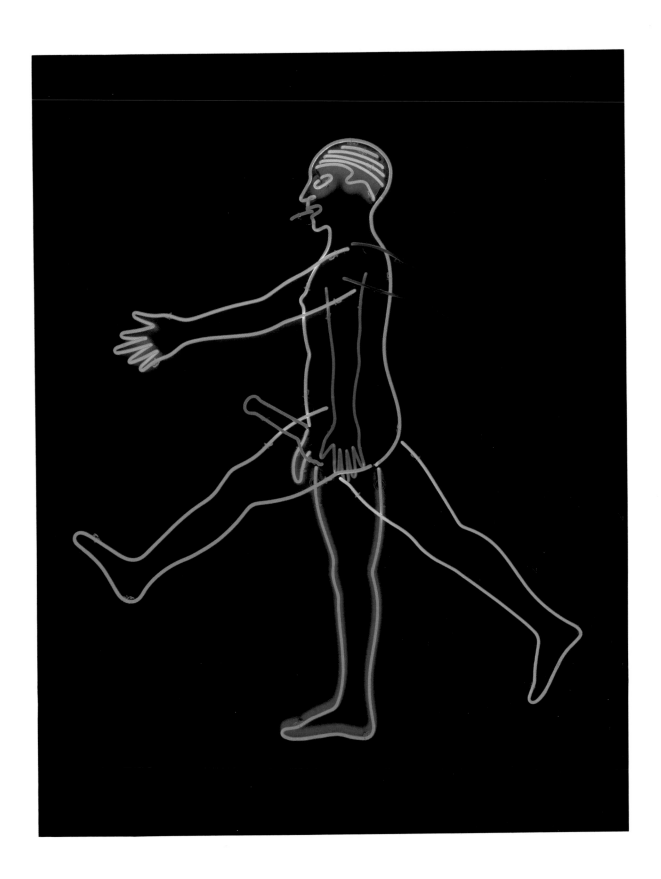

Bruce Nauman
Marching Man, 1985
Néon et tube de verre monté sur aluminium
195,5 x 167,6 x 25,4 cm
Photo: gracieuseté de Leo Castelli Gallery, New York

MURIEL OLESEN 1948, Genève, Suisse

CARBON 1984/86

"Sur trois murs d'une salle entièrement blanche sont projetés, à partir de neuf colonnes de hauteurs progressives, les ombres blanches et noires d'une rose carbonifère, d'un couteau à la lame de diamant et au manche de charbon et les reflets d'une constellation de brillants aux feux multicolores. Ce moment se situe juste entre les deux soleils noirs du rêve et du réveil."

CARBON 1984 / 86

"On three walls of an entirely white room, from nine columns of progressive heights, the white-and-black shadows of a carboniferous rose, a knife with a diamond blade and a charcoal handle, and the reflections of a constellation of brilliants with multicoloured sparkles. This moment is situated precisely between the two black suns of dream and awakening".

Étude de pied d'argile, 1986
Installation en regard des "Études de têtes colossales"
de Jean-Pierre Saint-Ours, 1752-1809
300 x 400 cm
Collection: Musée d'art et d'histoire, Genève
Photographie de l'artiste

Dreams that Photo can Show, 1978
. . . j'ai un rendez-vous à 10 heures précises avec (nom, prénom) . . .
le grand spécialiste du hasard . . .
Genève, rêve dans la nuit du 3 juillet 1978
Photographie couleur, 50 x 70 cm, d'une série de 10,
chacune accompagnée d'un texte de rêve.
Photographie de l'artiste

Cythère en combustion, 1982
Installation dans une chambre de style baroque, un projecteur
de film Super 8 projetant sa propre lumière dans le cheminée,
charbon, robe, chaussures, rouge à lèvres
700 x 500 cm
"Schweizer Kunst CH ' 70-80", Neue Galerie/ am Landesmuseum
Joanneum, Graz, 1982
Photographie de l'artiste

Muriel Olesen
Entre rêve et réveil, 1984
Installation
Collection: Wilson, Genève
Photo: gracieuseté de l'artiste

GIULIO PAOLINI 1940, Gênes, Italie

"L'oeuvre, elle-même, imagine l'auteur. Donc ce qui se révèle au regard n'est qu'un moment antérieur à toute définition possible; au-delà, au contraire, toutes les définitions seront possibles. L'intervalle qui nous sépare de l'image, c'est l'éternité qui se consume dans l'attente du commencement.

La vision est confiée à des silhouettes d'hommes: le *pas encore*, ou le *déjà plus*, qu'elles célèbrent est la quintessence de l'absence d'expressivité, de la distance. Avec leurs habits de *valet de chambre*, leur présence est tout ce qu'il y a de plus anonyme et de plus discret, même leur réalité pondérale est mise en question par les bases transparentes qui les supportent.

Au signal convenu—noir dans la salle—, les objects qui jusque-là étaient immobiles, tenus en l'air par les mains gantées de blanc, tombent au sol.

Un instant encore, les lumières se rallument, les personnages ont disparu. Ne restent que des fragments, signes d'une trace jamais apparue.

L'artiste est loin, en train d'admirer le silence des constellations."

Catalogue de l'exposition *Giulio Paolini*,
Le Nouveau Musée, Villeurbanne, 1984
Traduit de l'italien par ANNE MACHET

"The work itself imagines the author. Therefore, what is revealed to the gaze is only a moment prior to every possible definition, beyond which, on the contrary, every definition will be possible. The interval separating us from the image is eternity consuming itself in the wait for the beginning.

The vision is entrusted in silhouettes of men: the not yet, *or* the already gone, *that they celebrate is the quintessential absence of expressiveness, of distance. In their* butler's *suits, their presence is of the most anonymous and discreet nature, and even their weighty reality is called into question by the transparent bases supporting them.*

At an agreed-upon signal — a darkened room — objects, hitherto immobile and suspended by hands gloved in white, fall to the ground.

Another moment and, as the lights turn on, the characters have disappeared, leaving only fragments, indications of a trace that never appeared.

The artist is far away, admiring the silent constellation."

Giulio Paolini
Trionfo della rappresentazione (cerimoniale: l'artiste e assente), 1985
Installation
Photo: Paolo Mussat Sartor
Gracieuseté de Marian Goodman Gallery, New York

ROLAND POULIN 1940, Saint-Thomas, Ontario, Canada

Composées d'éléments apparemment simples dont la configuration s'offre d'abord en une clarté conceptuelle, les sculptures de Roland Poulin acquièrent par le travail du regard une opacité causée par la perception de nombreux écarts par rapport à la forme idéale. La lecture de l'oeuvre, rendue encore plus difficile par la dématérialisation des masses sous les effets des réverbérations multiples de la lumière et de l'ombre elle-même, amène le spectateur à prendre conscience que derrière cette simplicité première se cache en fait une complexité irréductible à un schème mental; par conséquent, il doit renoncer à toute perception unifiante et définitive.

L'espace enclos par l'oeuvre, des couloirs et des cavités où les ombres portées sont répercutées sur les surfaces internes, possède une densité qui fait du vide quelque chose de présent. Cette présence d'une absence qui, ajoutée à la forte horizontalité, semble faire allusion à des corps étendus, évoque tour à tour chez le spectateur un objet-lieu familier tel un lit, mais aussi un tombeau, et l'oeuvre peut alors prendre l'allure d'une *vanité* dédiée à la fascination pour l'abîme temporel.

Serge Bérard

Composed of apparently simple elements, whose configuration is initially presented with conceptual clarity, Roland Poulin's sculptures acquire, through the workings of the gaze, an opacity caused by the perception of numerous discrepancies in reference to the ideal form. Reading the work, made even more difficult by the dematerialization of masses under the effect of multiple reverberations of light and shadow itself, the viewer becomes aware that, in fact, behind this initial simplicity lies hidden a complexity that is irreducible to any mental schema. Consequently, the viewer must renounce any unifying and definitive perception.

The space enclosed by the work — the corridors and recesses where the cast shadows are reflected on the interior surfaces — has a density that makes a void into something present. This presence of an absence, when combined with a strong horizontality, seems to allude to laid-out bodies, in turn evoking a site-object familiar to the viewer, such as a bed, but also a tomb, which can make the work take on the aspect of a vanitas, dedicated to the fascination for the temporal abyss.

Hommage à Hung-Jen, 1983
Ciment, aluminium
51 x 81,5 x 397 cm
Collection: Art Gallery of Ontario
Photo: Brian Merrett

Roland Poulin
La Part de l'ombre, détail, 1985-86
Bois lamellé, peint
800 x 230 x 80 cm
Photographie de l'artiste

AL RAZUTIS 1946, Allemagne

STRESS TOPOGRAPHY SERIES (1983-1986)
Interférogrammes de transmission de la lumière blanche

"L'exploration des qualités esthétiques des profils interférométriques, c'est-à-dire la création de tensions ou d'interférences microscopiques dans une variété de matériaux (métaux, verre, etc.) de façon à montrer les propriétés "invisibles" de la matière et de la lumière.

Les profils (en forme de rubans) sont le résultat de tensions spécifiques appliquées en des points précis du matériau ou de la sculpture. En tant que tels, ces profils font autant partie du sujet des hologrammes que l'image elle-même. Ils représentent la forme "pure" de l'holographie en ce qu'ils montrent graphiquement les interférences de la lumière comme un geste esthétique.

La série évolue des profils de plaques d'acier inoxydable à des canaux d'aluminium, à du verre et à des plastiques; avec les deux dernières oeuvres (*Nose Cone* et *Giving Head to Science*) une vision politique de l'holographie et de la technologie militaire est proposée."

STRESS TOPOGRAPHY SERIES (1983-1986)
White light transmission interferograms

"Exploration of the aesthetics of interferometric contour mapping, that is, the creation of microscopic stress or disturbance in a variety of materials (metals, glass, etc.) for the purpose of showing an 'invisible' property of matter and light.

The contour lines (the ribbon-like forms) are the results of specific stress applied to selected areas of the material or sculpture. As such, the contour lines themselves are as much the subject of the holograms as the image. These contour lines represent the 'pure' form of holography in that they graphically display light interference as an aesthetic gesture.

The series progresses from contour mappings of stainless steel plates to aluminum channels to glass and various plastics and with the last two pieces (Nose Cone and Giving Head to Science) includes a political view of holography and military technology."

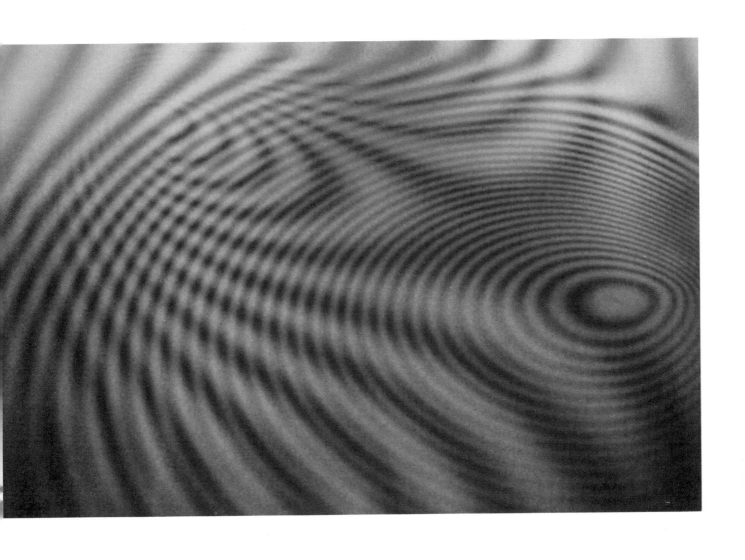

Al Razutis
Field, 1983
De la série "Stress Topography"
Interférogramme de transmission de la lumière blanche
30,4 x 40,6 cm
Photographie de l'artiste

ROBERT ROSINSKY 1958, Omaha, Nebraska, États-Unis

"L'intention à la base de la série intitulée *Mammals* est d'utiliser la lumière comme médium pour explorer les questions concernant l'attrait sexuel. Il semble tout à fait logique d'utiliser la lumière comme véhicule expressif, puisque ce que nous pensons et ressentons dépend pour une large part de ce que nous voyons.

Les pièces ont été conçues en s'inspirant largement des anciens téléviseurs. Comme pour les téléviseurs, l'écran est l'aspect le plus important des sculptures, mais la forme des écrans suggère des parties de l'anatomie.

La lumière que projettent ces écrans "mammifères" est séduisante, elle est conçue pour attirer le spectateur vers les sculptures. Les écrans sont en réalité des ouvertures, ouvertures qui permettent au spectateur de regarder dans des intérieurs qui apparaissent informes et sans limites. L'effet de regarder à travers l'une de ces ouvertures est comme celui de regarder dans le vide. Cette illusion prépare le spectateur à recevoir une impulsion lumineuse qui est activée en pressant un bouton placé près des écrans. L'impulsion est extrêmement brève, 1/1000 de seconde, mais elle est suffisamment intense pour laisser une image résiduelle ou, plutôt, une impression persistante sur la rétine du spectateur sans, je répète, sans causer de dommages à l'oeil.

Le spectateur perçoit ainsi une image qui n'existe pas dans le monde. J'appelle ce phénomène la "photographie de l'esprit."

"The intention of the series entitled Mammals *is to use light as a medium to explore issues regarding sexual attraction. Since so much of how we think and feel depends on what we see, it seems only logical to use light as an expressive vehicle.*

The design of the pieces was largely inspired by the look of early television sets. Like all televisions, the screen is the most important aspect of the sculptures. But unlike television screens, the shapes of the sculpture screens are suggestive of anatomical parts.

The light given off by the Mammals screens is seductive, it is intended to lure the viewer to the sculptures. The screens are actually apertures, apertures allowing the viewer to peer inside interiors that have been designed to appear shapeless and boundless. The effect of looking through one of these apertures is like that of gazing into a void. This illusion prepares the viewer to perceive a pulse of light that is activated by pressing a button located near the screens. The pulse is extremely brief (1/1000 of a second) but it is intense enough to leave a residual image or, rather, an afterimage in the eye of the viewer without, I repeat without, causing retinal damage.

In this manner, the viewer perceives an image that does not exist in the material world. I refer to this phenomenon as 'photography-of-the-mind'."

Elegy Box with Table, 1985
Matériaux mixtes, table de bois, composantes électroniques et système audio externe
Mesures approximatives: 172 x 53,3 x 53,3 cm
Photographie de l'artiste

Robert Rosinsky
Mammals, 1986
Matériaux mixtes, cabinet de bois et composantes électroniques
Mesures approximatives: 30 x 30 x 15 cm (chacune)
Photographie de l'artiste

TODD SILER 1953, Long Island, New York, États-Unis

"Dans *In the Eye of the Electromagnetic Spectrum,*, le monde physique est vu illuminé par la raison. La lumière projetée dans la pupille de la toile est chauffée à blanc, comme le soleil en plein midi et comme l'esprit humain inébranlable dans sa concentration. À un moment, la toile étirée et de forme elliptique symbolise la lentille de l'univers. Dans l'autre, elle représente une coupe transversale de notre galaxie. Les associations se suivent alors que le diaphragme de l'imagination s'ouvre, que les intuitions éveillent l'esprit conscient, émettant des ondes d'énergie à travers l'ensemble du spectre électromagnétique, 'l'oeil', signal d'illumination.

"Mon oeuvre, *In the Eye of the Electromagnetic Spectrum*, est une représentation abstraite de la "lumière" visible et invisible du cerveau humain, une lumière qui sert à voir et à analyser l'inconnu par la raison et l'intuition. Ici, les processus de l'intuition sont métaphoriquement associés à l'ensemble des longueurs d'onde ou fréquences situées en dehors de l'étendue visible du spectre électromagnétique (ondes radioélectriques, ultra-courtes, infrarouges, ultraviolettes, rayons X, rayons gamma, ainsi que les rayons et ondes non encore découverts ou produits). Les processus de la raison, par contre, sont associés à toutes les fréquences visibles qui sont mélangées dans ''la pupille de l'oeil'.''

"*In* In the Eye of the Electromagnetic Spectrum *the physical world is seen illuminated by reason. The light projected in the pupil of the canvas is white-hot like the sun at high noon and like the human mind unwavering in forceful concentration. At one moment the elongated, elliptical-shaped canvas symbolizes the lens of the universe. In the next moment, it represents a cross-sectional view of our galaxy. One association follows another, as the aperture of the imagination opens, as intuitions wake the conscious mind, sending waves of energy across the EM spectrum, 'the eye,' signalling enlightenment.*

"*My artwork* In the Eye of the Electromagnetic Spectrum *is an abstract representation of the visible and invisible 'light' of the human brain, a light used to see and analyze the unknown through reason and intuition. Here the processes of intuition are metaphorically associated with all the wavelengths or frequencies outside the visible range of the EM spectrum (radio waves, micro-waves, infrared, ultraviolet, X-rays, gamma rays, including those rays and waves yet to be discovered or produced). The processes of reason, by contrast, are associated with all the visible frequencies which are mixed in 'the pupil of the eye.'*"

The Centripetal Force of Light, 1983
Propylène, latex, huile, encre, crayon, collage
710 x 274 cm
Photo: D. James Dee
Gracieuseté de Ronald Feldman
Fine Arts Inc., New York

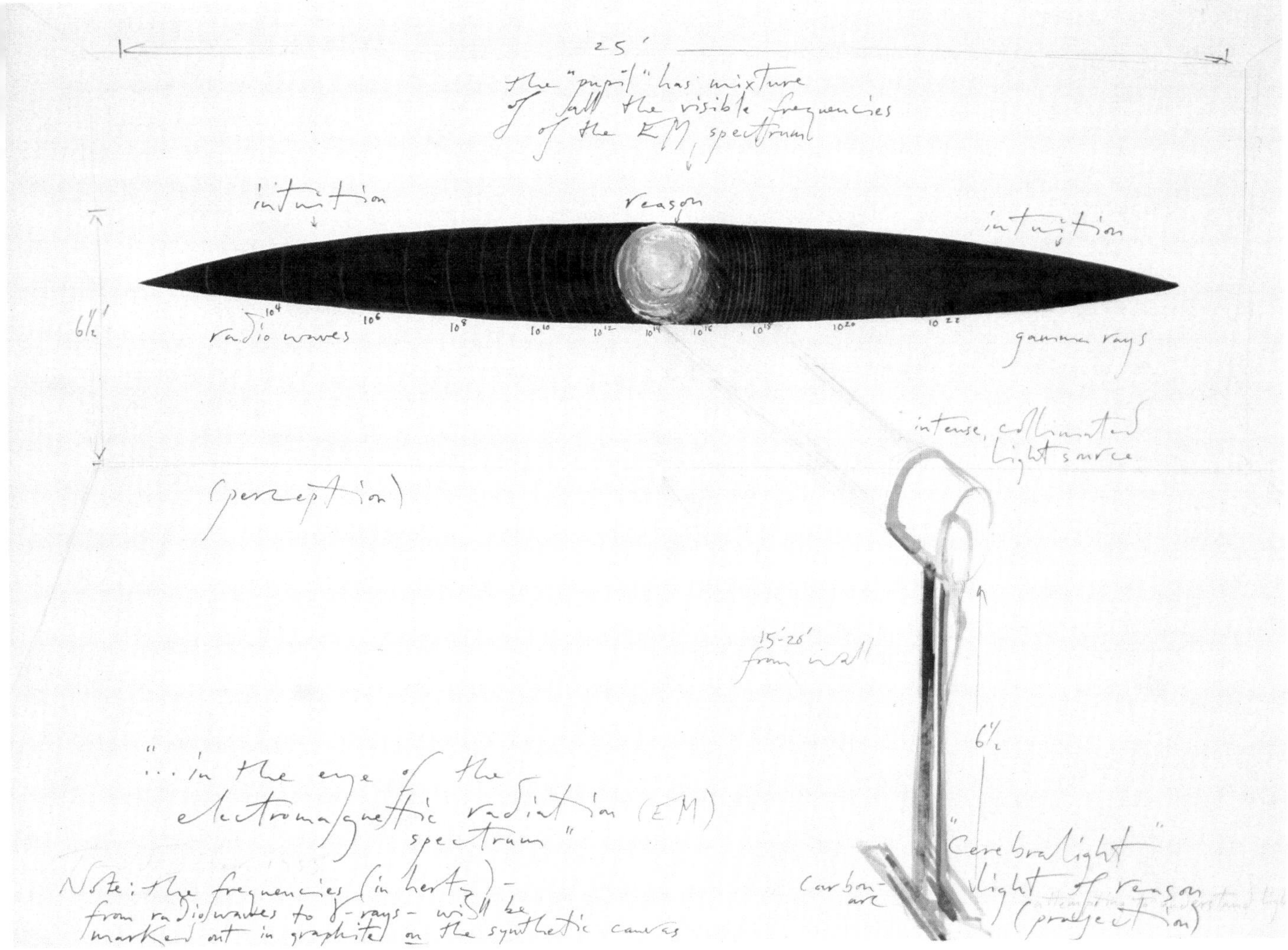

25'

the "pupil" has mixture
of all the visible frequencies
of the EM spectrum

intuition   reason   intuition

radio waves 10^4 10^6 10^8 10^{10} 10^{12} 10^{14} 10^{16} 10^{18} 10^{20} 10^{22} gamma rays

6½'

(perception)

intense, collimated
light source

15'-20'
from wall

6½'

"...in the eye of the
electromagnetic radiation (EM)
spectrum"

"Cerebral light"
carbon   light of reason
arc   (projection)

Note: the frequencies (in hertz) -
from radio waves to γ-rays - will be
marked out in graphite on the synthetic canvas

Todd Siler
*In the Eye of the Electromagnetic
Spectrum*, 1986
Note visuelle de l'installation
Photo: Louis Lussier

119

KEITH SONNIER 1941, Mamou, Louisiane, États-Unis

Keith Sonnier dessine avec le néon, dont la linéarité s'associe spontanément au geste de l'écriture ou du dessin, pour animer l'espace d'une calligraphie primitive, parfois d'inspiration orientale, parfois géométrisante, comme située au moment où commencent à se former les signes. Ces dessins aux éléments inintelligibles, au geste large mais parfaitement déterminé, semblent avoir été exécutés par une main apprenant laborieusement à écrire, essayant mécaniquement sa plume ou apposant rapidement ses initiales. L'énergie qui est transmise tout le long des dessins est soulignée par la présence notable des fils qui, se mêlant au dessin, deviennent une composante de l'oeuvre. Donnant l'impression d'être gravés en creux sur le mur, les néons rappellent les premiers signes conservés dans la pierre, et leurs effets lumineux architecturent l'espace et l'investissent d'une pure sensualité coloristique, presque tactile. *Serge Bérard*

Keith Sonnier draws with neon, the linearity of which associates it spontaneously to the gesture of writing or drawing, animating the space with a primitive calligraphy, sometimes of Oriental inspiration, at times geometric, as if situated at a point in time when signs begin to take form. These drawings, made of unintelligible elements, of a large but extremely precise gesturality, seem to have been executed by a hand laboriously learning to write, trying out its pen mechanically, or rapidly apposing its initials. The energy transmitted along the drawings is underlined by the notable presence of the wiring, which, intermingled with the drawing, becomes a part of the work. Giving the impression that they have been engraved in the wall, these neons recall the first signs that were preserved in stone, and their luminous effects construct the space and invest it with a pure colouristic sensuousness which as an almost tactile quality.

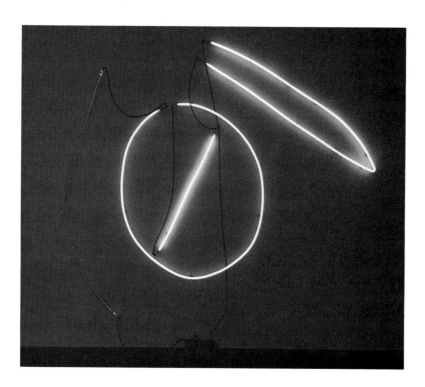

Expanded Sel Diptych III, 1979
4 tubes à l'argon et au néon
205,7 x 241,3 cm
Photo: Zindman/Fremont
Gracieuseté de Leo Castelli Gallery, New York

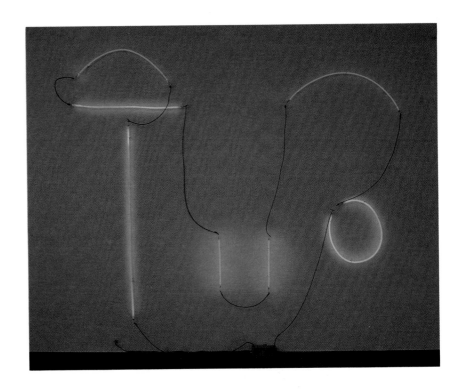

Expanded Sel Diptych I, 1979
7 tubes à l'argon et au néon
259 x 304 cm
Photo: Zindman/Fremont
Gracieuseté de Leo Castelli Gallery, New York

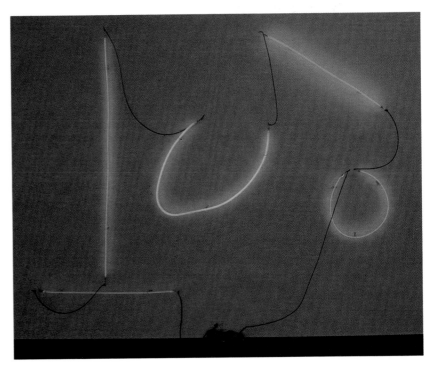

Keith Sonnier
Expanded Sel Diptych IV, 1979
5 tubes à l'argon et au néon
211 x 261,6 cm
Photo: Zindman/Fremont
Gracieuseté de Leo Castelli Gallery, New York

BARBARA STEINMAN 1950, Montréal, Québec, Canada

CENOTAPH

"Un catalogue d'exposition tend à standardiser l'apparence de l'art favorisant des oeuvres, ou des détails d'oeuvres, qui sont photogéniques ou qui passent bien à l'imprimé. *Cénotaph*, re-présenté dans ce catalogue, a été transmué de trois dimensions existant dans le temps, en texte et photographies. Certains éléments qui faisaient "vivre" l'oeuvre dans sa forme originale sont disparus: temps, mouvement, échelle, texture, teinte, jeu de la lumière, contexte, atmosphère, emplacement, points de vue, sons ambiants. Cette description de l'oeuvre ne peut être qu'une trace, qu'une rumeur. En regardant l'oeuvre re-présentée, il devient important de se rappeler ce qui est disparu.

Dans cette installation, l'image, vidéo ou diapositive projetée, est la source de lumière qui révèle la forme et le contenu. L'image bouge à l'intérieur d'un cadre structurellement modifié. Bien qu'elle devienne une installation *in situ* où qu'elle soit montrée, faisant référence à des questions de tolérance et de domination, l'oeuvre n'est pas nécessairement liée à un lieu et à un temps déterminé. Les spectateurs font leurs propres associations."

CENOTAPH

"An exhibition catalogue tends to standardize the look of art, favouring works, or details of works, that are photogenic or translate well into print. Cenotaph, re-presented in this catalogue, has been transmuted from three dimensions existing in time to photographs and text. Certain elements which made the work 'breathe' in its original form have disappeared: time, movement, scale, texture, hue, play of light, context, ambience, emplacement in space, points of viewing, extraneous sound. This description of the work can only be a trace, a rumour. When viewing the re-presented work, it becomes important to remember what is missing.

In this installation, the video or projected slide image is the source of light revealing form and content. The image moves within a structurally altered frame. Though it becomes site-specific wherever it is shown in referring to issues of tolerance and dominance, the work is not necessarily bound to a particular place and time. Viewers find their own associations."

THE RADICALISM OF MEASURES TO TREAT PEOPLE AS IF

THEY HAD NEVER EXISTED AND TO MAKE THEM DISAPPEAR

IS FREQUENTLY NOT APPARENT AT FIRST GLANCE

Cenotaph, détail, 1985
Granite
60 x 91 x 1,8 cm
Photo: Marc Cramer

122

Barbara Steinman
Cenotaph, détail, 1985
Installation vidéo avec projection de diapositives
Bois, granite, miroirs transparents, plexiglas
Tétraèdre: 152 x 260 cm
Photo: Robert Kesiere

DAVID TOMAS 1950, Montréal, Québec, Canada

1. Au commencement Dieu créa les cieux et la terre.
2. Et la terre était désolation et vide et il y avait des ténèbres sur la face de l'abîme. Et l'esprit de Dieu planait sur la face des eaux.
3. Et Dieu dit: Que la lumière soit. Et la lumière fut.
4. Et Dieu vit la lumière, qu'elle était bonne; et Dieu sépara la lumière d'avec les ténèbres.
5. Et Dieu appela la lumière Jour; et les ténèbres il les appela Nuit. Et il y eut soir, et il y eut matin: premier jour.

"Dans le procédé photographique, le rôle d'un système de classification, une "grammaire" basée sur la lumière-présence / l'obscurité-absence, se définit en termes d'une graduation tonale de la lumière à l'obscurité (sur- et sous-exposition), qui présuppose un principe ordonnateur binaire. Comme pour le mythe judéo-chrétien de la création, l'ordre est affirmé à partir d'une distinction initiale entre la *lumière* et *l'obscurité*. Le procédé photographique et le processus de la création prônent tous deux la primauté de la perception oculaire au détriment des quatre autres sens; les deux sont médiatisés par une entité qui perçoit, l'homme pour le premier, Dieu pour le second; chez les deux, la nomination est d'une importance particulière; et finalement, ils ne sont pas du tout concernés par la question de l'origine ou de la nature de la matière.

Se pourrait-il que le rôle hégémonique du "rituel photographique" dans la conscience matérielle et symbolique de l'Occident se soit développé en vertu de l'articulation d'un système de classification qui fait écho à des questions aussi fondamentales que les origines transcendantes de la lumière et de l'obscurité, du jour et de la nuit, et de la présence ou de l'absence des choses terrestres? Ce principe d'ordonnance dualiste, cette primauté de l'oculaire et ce mode de la nomination subvertissent une réalité perçue, sous l'autorité d'une représentation oculaire mobile et ultimement transcendante, elle-même sous l'influence du "rationnel" ou de l'homme "scientifique." Leur articulation se fait par des moyens optiques, mécaniques et chimiques qui donnent une permanence aux apparences et qui les séparent de la matière en contexte. Se pourrait-il que le procédé photographique représente un modèle "rationnel" et technologiquement orienté pour remplacer le processus de la création?

Si la remarquable *autorité* du procédé photographique peut être retracée jusqu'à une telle racine *commune*, alors toute tentative pour renverser son *pouvoir mythique* et pour produire une autre "histoire", délogée de ces origines mythiques et transposée dans un autre contexte, devrait garder en mémoire la mise en garde de Nietzsche disant que

1. In the beginning God created the heaven and the earth.
2. And the earth was without form, and void; and darkness was upon the face of the deep. And the spirit of God moved upon the face of the waters.
3. And God said, Let there be light; and there was light.
4. And God saw the light, that it was good: and God divided the light from the darkness.
5. And God called the light Day, and the darkness he called Night. And the evening and the morning were the first day.

"In the photographic process, the role for a classification system, a 'grammar' based on light-presence / darkness-absence, is defined in terms of a tonal graduation between light and darkness (over- and under-exposure), which presupposes an ordering principle, that of binary distinctions. As with the Judaeo-Christian myth of creation, order is predicated on an initial distinction between light and darkness. Both photographic and creation processes emphasize the primacy of ocular perception at the expense of the other four senses; both are mediated by a perceiving entity, man in the former, God in the latter; in each case the process of naming is of particular importance; and finally, both are unconcerned with the question of the origin or nature of matter.

Could the hegemonic role of the 'photographic ritual' in the symbolic and material consciousness of the Occident have come about by virtue of its articulation of a classification system which echoes such fundamental questions as the transcendent origins of light and darkness, day and night, and the presence or absence of earthly things? This dualistic principle of ordering, this primacy of the ocular sense, and this process of naming subvert a perceived reality under the authority of a mobile and ultimately transcendent representation of the eye, cast under the influence of 'rational' or 'scientific' man. Its articulation is achieved by optical, mechanical, and chemical means, rendering appearances permanent and separating them from contextualized matter. Could the photographic process represent an alternative 'rational' and technologically oriented model for the process of creation?

If an explanation for its remarkable authority could be traced to such a common *mythic* root, any attempts to subvert its mythic power and to produce another 'history' dislodged and rerouted from these mythic origins would have to retain an awareness of Nietzsche's warning that implicit in a grammar of seeing and in the written history of photography are the ordering principles signifying the presence of God. After all, 'In the beginning' God not only created the *heaven and the earth*, but he said, 'Let

dans une grammaire de la vision et dans l'histoire écrite de la photographie se trouvent implicitement les principes d'ordonnance signifiant la présence de Dieu. Après tout, "Au commencement" Dieu ne *créa* pas seulement le ciel et la terre, mais *il dit*, "Que la lumière soit", et il *appella* "la lumière Jour" et les ténèbres "Nuit". Si *nous* fonctionnons maintenant sous l'illusion historique que nous avons remplacé Dieu, nous ne devons pas oublier que collectivement, nous *prenons*, *fabriquons* et "lisons" les photographies, et qu'en cela, et dans les mots de Nietzsche "Je crains que nous ne puissions nous défaire de Dieu, car nous avons encore foi en [sa/notre] grammaire . . ."

there be light,' and he called 'the light Day,' and the darkness 'night.' If we now function under the historical illusion that we have replaced God, we must not forget that we collectively take, make, and 'read' photographs, and as such, and in the words of Nietzsche, 'we are not getting rid of God because we still believe in [his/our] grammar . . .'

David Tomas
Through the Eye of the Cyclops, 1985-86
Laser, caméra vidéo, moniteur vidéo, calotype, letrasign, chromatic, tubes fluorescents jaunes, lumières noires, stroboscope
Installation: 4,5 x 15,2 m
Photo: Robert Kesiere
Gracieuseté de S.L. Simpson Gallery, Toronto

SERGE TOUSIGNANT 1942, Montréal, Québec, Canada

Les oeuvres photographiques de Serge Tousignant se veulent une démonstration des ambiguïtés perceptuelles causées par le passage du tridimensionnel au bidimensionnel en même temps qu'un lieu où sont mises en tension la volonté d'abstraction et l'attention aux particularités du réel. Ces deux approches sont souvent articulées par une stratégie de répétition en série d'une même image qui agit à la fois comme grille réductrice qui abstrait de son contexte chacune des images en aplatissant la perspective et en offrant une vision globalisante, et comme toile de fond cinématographique sur laquelle des temps et des configurations uniques se succèdent et inscrivent leur différence.

Dans les oeuvres qui utilisent la réflection de la lumière et la projection d'ombres, les formes tridimensionnelles et l'espace dans lequel elles sont placées font l'objet d'une traduction en images réfléchies qui sont comme autant d'anamorphoses des objets réels. La succession des photographies décompose l'illusion, en juxtaposant à ses différents états un contexte réel qui demeure identique, ou en transformant le contexte pour transformer l'illusion. *Serge Bérard*

Serge Tousignant's photographic works at once demonstrate the perceptual ambiguities caused by the passage of the three-dimensional to the two-dimensional, and are the scene of tension between the will to abstraction and the attention to the particularities of reality. These two approaches are often articulated by a serial strategy, which repeats the same image, acting as a reducing grid to abstract each of the images from its context by flattening the perspective and offering a unifying vision, and also acting as a cinematographic background on which unique times and configurations appear in succession, inscribing difference.

In those works that use the light reflection and shadow projection, the three-dimensional forms and the space in which they are placed undergo a translation into reflected images, a kind of anamorphosis of real objects. The succession of photographs deconstruct the illusion by juxtaposing onto these different states a real context that remains identical, or by transforming the context to transform the illusion.

Ruban gommé sur coin d'atelier,
1 point de vision, 1973
Photographie
60,9 x 76,2 cm
Photographie de l'artiste

126

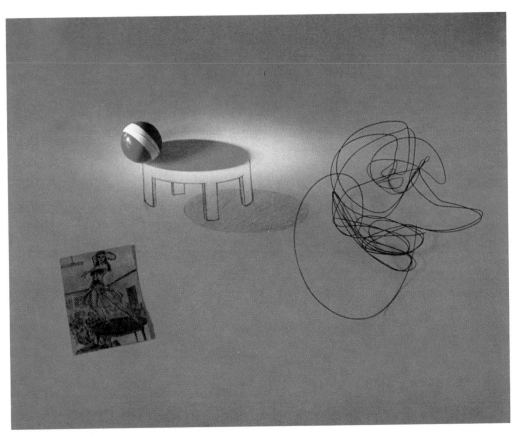

Serge Tousignant
Nature morte aux balles, 1986
Photographie couleur de type RC
Diptyque: 101,6 x 261 cm
Photographie de l'artiste

JAMES TURRELL 1943, Los Angeles, Californie, États-Unis

La lumière dans les installations de James Turrell possède à la fois la densité de la matière et la translucidité d'un voile. Les projections lumineuses, dirigées ou diffuses, naturelles ou artificielles, ne visent pas à délimiter l'espace dans lequel elles agissent, mais à le dissoudre ou à en faire éclater les limites. Le spectateur, confronté à des espaces vides qui semblent acquérir la solidité d'un mur, ou au contraire à des murs qui semblent flotter dans l'espace, se voit forcé de remettre en question ses habitudes de perception, mises en déroute par un travail sur le réel et l'illusion qui se situe à l'intérieur de la tradition picturale.

Chez Turrell, les paradoxes ne se comptent plus, la lumière investit l'espace d'une intense présence matérielle, et fait qu'un cube possédant toute la solidité d'un objet réel, mais en fait constitué de lumière, paraît, selon le moment, se détacher du mur ou s'enfoncer au-delà de lui; qu'une mince feuille de lumière coupe "littéralement" l'espace de la pièce; qu'une ouverture acquiert la matérialité d'un mur et que parfois la pièce elle-même, baignée d'une intense lumière colorée, à la tonalité changeante, semble posséeder une qualité spatiale plus grande que ses limites réelles. *Serge Bérard*

In James Turrell's installations, the element of light has at once the density of matter and the translucency of a veil. The luminous projections, directed or ambient, natural or artificial, are not intended to demarcate the space within which they operate, but rather to dissolve it or to break through its limits. Confronted with empty spaces that seem to acquire the solidity of a wall, or, conversely, with walls that appear to be floating in space, the spectator is forced to question his or her habits of perception — these having been undone by a manipulation of reality and illusion within the pictorial tradition.

In Turrell's work, the paradoxes are innumerable: light invests the space with an intense material presence, so that a cube made entirely of light has all the solidity of a real object, seeming at any given moment to separate from the wall or thrust itself beyond it; a thin sheet of light 'literally' slices the space in a room; or an opening acquires the materiality of a wall and at times the room itself, immersed in an intense coloured light of changing tonality, seems to acquire a spatial quality greater than the actual physical confines.

Roden Crater Project, 1984
Photo: Art-Design,
Gracieuseté Marian Goodman Gallery, New York

James Turrell
Danaë, 1983
Lumière et espace
132 x 50,8 x 27,9 cm
Collection: The Mattress Factory, Pittsburgh
Photo: Nance Calderwood,
Gracieuseté Marian Goodman Gallery, New York

MICHEL VERJUX
1956, Chalon-sur-Saône, France

ÉCLAIRAGE

"Le travail présenté existe dans des limites matérielles données: la structure et l'organicité plastique de son cadre d'existence. Le support du travail, c'est l'espace architectural où le travail a lieu: l'ici et maintenant visuel, spatial. L'outil principal qui permet de révéler l'espace, c'est l'éclairage.

L'éclairage, dont la forme change selon les situations, est l'élément permanent. Les espaces diffèrent, l'action d'éclairer – la révélation – diffère. Les situations changent, mais l'outil, la question, demeurent.

Il ne s'agit cependant pas d'un travail de rédemption du lieu. C'est un travail d'éclairage. Parce qu'est mise en oeuvre l'action physique d'éclairer. Parce qu'il est question d'application de la lumière à l'espace où l'on se trouve, ou à certains de ses éléments, pour qu'ils puissent être vus. Parce qu'il est aussi question de la manière dont la lumière est distribuée, répartie dans cet espace. Enfin parce qu'un éclairage n'est qu'un point de vue, toute la lumière est loin d'être faite sur chacune des situations éclairées."

LIGHTING

"The work shown exists within given material limits: the structure and organic nature of its frame of existence. What supports the work is the architectural space where the work takes place: the visual and spatial 'here and now.' The principal tool to allow the revealing of the space is lighting.

Lighting, whose form changes according to the situation, is the permanent element. The action of lighting, the revelation, differs with different spaces. Situations change, but the tool, the question, remains the same.

However, it is not a question of redeeming the site. The task is one of lighting, because the physical action of lighting is part of the work. Because it is a question of applying light to the space where we happen to be, or to certain of its elements, in order that they be seen. Because it is also a question of the manner in which light is distributed and allocated in this space. And finally, because lighting is merely a point of view, light is far from being shed on each lit situation."

Une et trois portes, 1986
Bois, néons et plexiglas
195 x 220 x 34,5 cm
Photo: André Morin
Gracieuseté de la galerie Claire Burrus, Paris

Michel Verjux
Pyramide éclairée éclairante, 1986
Bois, néons, plexiglas et projecteur
200 x 200 x 1200 cm
Photo: André Morin
Gracieuseté de la Maison de la Culture et de la Communication, Saint-Étienne, France

KRZYSZTOF WODICZKO 1943, Varsovie, Pologne

"Épousant l'indifférence des corporations, l'"architecture" d'aujourd'hui révèle son cynisme à travers un expansionisme sauvage. Ce qu'on a défini comme "architecture" est donc en réalité un impitoyable système de promotion immobilière qui se présente sous la forme d'un Événement, effrayant et continu, qui se déroule à une large échelle et dont les manifestations publiques les plus troublantes sont la terreur économique, l'expulsion des individus et l'exode des groupes les plus pauvres de la ville de l'intérieur vers l'extérieur des édifices.

Une telle extériorisation forcée de leur corps transforme les Sans-Abris en "structures" extérieures permanentes, en formes architecturales symboliques, en nouveaux types de monuments citadins: les Sans-Abris.

Les surfaces que présentent les Sans-Abris, peu ou trop vêtues, sales et craquelées par une exposition permanente à l'extérieur, et dans leur pose figée "classique", ressemblent au monuments officiels de la ville.

Les nouveaux monuments de la cité, les Sans-Abris, doivent s'approrier, ou se présenter sous des "formes" citadines populaires à la stratégie symbolique. Pour assurer leur "revenu" de famine (les dons des passants), les sans-abris doivent apparaître comme de "vrais sans-abris" (leur "performance" doit se conformer au mythe populaire des Sans-Abris): les sans-abris doivent être les Sans-Abris.

Formés à partir des "rejets" de l'"architecture" de la cité, et à partir des fragments physiques des cycles de changement, les sans-abris deviennent les "édifices" nomades, les "monuments" mobiles de la cité. Bien qu'ils soient maintenus au bas de l'échelle sociale et économique et qu'ils soient limités par leur environnement physique, les Sans-Abris accèdent à une *stabilité symbolique*, alors que les édifices et les monuments de la cité perdent la leur, soumis aux *changements continus de la promotion immobilière*.

Incapable d'exister sans la présence dramatique des sans-abris (le contraste qu'ils offrent servant à produire la "valeur" sociale, économique et culturelle), et refusant de reconnaître en eux l'effet de ses propres répercussions sociales, l'"architecture" doit refouler la condition monumentale des sans-abris de plus en plus profondément dans son inconscient (politique).

Si les sans-abris doivent "porter" l'édifice (devenir un nouvel édifice mobile) et être forcés de vivre le monumental problème de l'Architecture, le but de *The Homeless Projection* est d'imposer à son tour cette condition sur l'Architecture elle-même, et de forcer ses surfaces à révéler ce qu'elles refusent d'admettre."

"Mimicking and embodying a corporate moral detachment, today's 'architecture' reveals its inherent cynicism through its ruthless expansionism. What has been defined as 'architecture' then, is really a merciless real-estate system, embodied in a continuous and frightening mass-scale Event, the most disturbing public and central operations of which are economic terror, physical eviction, and the exodus of the poorest groups of city inhabitants from the buildings' interiors to the outdoors.

Such forced exteriorization of their bodies transforms the homeless into permanently displayed outdoor 'structures,' symbolic architectural forms, new types of city monuments: the Homeless.

The surfaces of The Homeless, over- or under-dressed, unwashed, cracked from permanent outdoor exposure, and posing in their frozen 'classic' gestures, resemble the official monuments of the city.

The new city monuments, the Homeless, must appropriate or display themselves in symbolically strategic and popular city 'accents.' To secure their starvation-level 'income' (street donations), the homeless must appear as 'real homeless' (their "performance' must conform to the popular Myth of the Homeless): the homeless must be the Homeless.

Formed of the 'refuse' of a city 'architecture' and of the physical fragments of the cycles of change, the homeless become the nomadic 'buildings,' the mobile 'monuments' of the city. However fixed in the absolute lowest economic and social positions and bound to their physical environment, the Homeless achieve a symbolic stability, *while the official city buildings and monuments lose their stable character as they continuously undergo their* real-estate change.

Unable to live without the dramatic presence of the homeless (as their contrast helps to produce 'value' — social, economic, cultural) and denying the homeless as its own social outcome, 'architecture' must continuously repress the monumental condition of the homeless deeper into its (political) unconscious.

If the homeless must 'wear' the building (become a new mobile building) and are forced to live through the monumental problem of Architecture, the aim of The Homeless Projection *is to impose this condition back upon the Architecture and to force its surfaces to reveal what it denies."

Krzysztof Wodiczko
The Homeless Projection, détail, 1986
De gauche à droite: Lafayette, "mère", Lincoln
Installation présentée au 49e Parallèle, New York
Photographie de l'artiste
Gracieuseté de The Ydessa Gallery, Toronto

LISTE DES OEUVRES EXPOSÉES
LIST OF EXHIBITED WORKS

PIERRE AYOT

I pomodori verdi di Boissano, 1983
Acrylique sur toile et bois, projection
120 x 178 x 40 cm
Collection: Banque d'oeuvres d'art du Canada
Una giornata al sole, 1986
Acrylique sur toile, chaise transat et tube
178 x 135 x 100 cm
Prêt: Galerie Graff, Montréal

CLAUDE-PHILIPPE BENOIT

Le noir et son double, 1986
4 photographies + projection
125 x 215 cm chacune, environ

CHRISTIAN BOLTANSKI

Leçons de Ténèbres, 1985
Squelettes en papier ondulé
Surface de l'installation: 25 m^2 environ
Prêt: Galerie Chantal Boulanger, Montréal, et Galerie Crousel-Hussenot, Paris

CHRIS BURDEN

Speed-of-Light Machine, 1983
Lentilles, miroir pivotant, miroir
Faisceau de lumière: 13,7 m
Surface de l'installation: 85 m^2
Prêt: Ronald Feldman, Fine Arts, New York

DANIEL BUREN

La cabane lumineuse, 1986
Surface de l'installation:
65 m^2 environ

GENEVIÈVE CADIEUX

The Shoe at Right Seems Much Too Large, 1986
Lampe-écran, 2 boîtes lumineuses, bois, fluorescents, transparences,
photographiques, métal, ventilateur
Surface de l'installation: 90 m^2
Construction de la lampe-écran: Alec Anderson
Consultant: Claude Fortier, physicien

PHILIPPE CAZAL

l'idée ridicule, 1985
Photographie
150 x 112 cm
Prêt: Galerie Claire Burrus, Paris
(À Haute Voix) — (Çà et là)
4 photographies
180 x 80 cm chacune
Prêt: Galerie Claire Burrus, Paris
Version originale, 1986
Altuglass blanc (face et chants)
430 x 30 cm
Prêt: Galerie Claire Burrus, Paris

GÉRARD COLLIN-THIÉBAUT

La danse avec le diable, 1985-86
24 projecteurs de diapositives sur socles, 96 diapositives, 1 cassette audio
Surface de l'installation: 61 m² environ

MARIE-ANDRÉE COSSETTE

3 hologrammes de type "arc-en-ciel", à fente, de Benton
Collaborateurs: John R. Burns et Sam Moree
Concepteur de l'installation: Michel Gauthier
Aqua/Aria (l'eau et l'air), 1984
31,9 x 42,9 cm
Tirage: 3/6
Aqua (l'eau), 1984
31,9 x 41,9 cm
Tirage: 3/6
Sans titre, 1984
31,9 x 42,8 cm
Tirage: 2/5

LUC COURCHESNE

Installation claire-obscure, 1986
Murs de colombage et feuilles de gypse peintes, velours noirs, objets
suspendus, distributrice automatique de lampes de poche pour voir le passé
Surface de l'installation: 53,3 m²

JACQUELINE DAURIAC

Une situation optique pure, couleurs Polaroïd, spectateurs, cent jours, 1986
9 projecteurs, 9 écrans, 4 socles, 720 diapositives
Surface de l'installation: 60 m² environ
Prêt: Jacqueline Dauriac et la Galerie René Blouin, Montréal

DAN FLAVIN

Untitled (to Barnet Newman), 1973
Fluorescents jaune, rouge, bleu
20,3 x 50,8 cm
Prêt: Galerie John A. Schweitzer, Montréal

JOHN FRANCIS

Alchemical Animal, 1,2, 1986
Néon, acier, fibre de verre, rayonne
152 x 213 cm chacun

ELDON GARNET

Light Industrial, 1986
Installation: 4 photographies, couleurs, bois, verre
152 x 254 x 152 cm
Prêt: Gold City Gallery, Toronto

MARVIN GASOI

Untitled, 1986
6 cibachromes
127 x 152,4 cm chacun
Prêt: Galerie Art 45, Montréal

JUAN GEUER

Polarities, 1986
Passage heuristique
Feu rouge
Installation extérieure et intérieure, avec lumière

MICHAEL HAYDEN

Glow - Flow Spiral, 1985-86
Néon
426 x 30,4 cm

TIM HEAD

Winter, 1984
Installation, arbre, peinture lumineuse, lampes, lumière noire
365 cm de haut

NAN HOOVER

Projections: A Video/Light Composition, 1986
7 projecteurs, 2 moniteurs vidéo N/B, 2 tours en bois, 2 caméra vidéo
Surface de l'installation: 47 m² environ

PAUL HUNTER

Urban Night, 1985
Artist's Studio, 1985
New York, 1986
Bois, plastique, papier et acrylique
6,2 x 60 x 182 cm chacun
Homeless, 1986
Bois, plastique, papier, acrylique et métal
6,2 x 60 x 182 cm

**KRISTIN JONES
et ANDREW GINZEL**

Ad Infinitum, 1985-86
Eau, verre, lumière incandescente, soie, fil élastique, pompes, jets, moteurs,
minuterie, rhéostat, bois, plexiglas, plomb
Ouverture: 45,7 x 63,5 cm
Ensemble: 213,3 x 274,3 x 91 cm

DIETER JUNG

Illuminations, 1984-86
5 hologrammes, lumière blanche
Surface de l'installation: 42 x 32 cm

JON KESSLER

B.C., 1985
Construction avec matériaux mixtes, lumières et moteurs
Multiple, tirage de 6
101,6 x 40,6 x 43,1 cm
Prêt: Luhring Augustine & Hodes Gallery, New York

HOLLY KING

Adrift, 1986
Schism, 1986
Portent, 1986
3 photographies en noir et blanc
122 x 185 cm
Prêt: Galerie John A. Schweitzer, Montréal

BERTRAND LAVIER

Picture Light, 1986
Peinture acrylique sur mur et sur lampes
6 x 4 m, environ
Slide Painting, 1986
Peinture, projecteur, 1 diapositive
25 x 30 cm, environ
Cubist Movie, 1986
Projecteur et film Super 8 mm
La poule blanche, 1937, de Fernand Léger, 52,5 x 63 cm
L'oeuvre de Fernand Léger a été prêtée par le Musée des beaux-arts de
Montréal. Un don des fils de Wilson Griffith McConnell en sa mémoire en
1966.

ANGE LECCIA

Arrangement, 1986
50 téléviseurs et 160 emballages
Surface de l'installation: 63 m², environ
Prêt: Galerie Montenay-Delsol, Paris

GILLES MIHALCEAN

Le marais, 1986
Plâtre, verre, polyuréthane, résine, bois, fibre, aluminium
38,1 cm de haut, 457 cm de diamètre

GÉRALD MINKOFF	OUTRE VERTU, Ô fiat lux!, 1970-1986
	2 chiens en peluche, tube laser, 2 caméras et moniteurs couleur,
	200 x 300 x 200 cm
	Surface de l'installation: 35 m², environ
	Prêt: Galerie Graff, Montréal

BRUCE NAUMAN
Marching Man, 1985
Néon et tube de verre monté sur aluminium
195,5 x 167,6 x 25,4 cm
Prêt: Leo Castelli Gallery, New York
Sex and Death by Murder and Suicide, 1985
Néon et tube de verre monté sur aluminium
198,1 x 198,1 x 30,4 cm
Prêt: Leo Castelli Gallery, New York

MURIEL OLESEN
Carbone, 1984-86
9 projecteurs de diapositives sur socles, 9 diapositives
Surface de l'installation: 35 m², environ
Prêt: Galerie Graff, Montréal

GIULIO PAOLINI
Trionfo della rappresentazione (cerimoniale: l'artiste e assente), 1985
Surface de l'installation: 35 m², environ
Prêt: Marian Goodman Gallery, New York

ROLAND POULIN
La Part de l'ombre, détail, 1985-86
Bois lamellé peint
800 x 230 x 80 cm

AL RAZUTIS
De la série "Stress Topography"
Interferogrammes de transmission de la lumière blanche
Field, 1983
30,4 x 40,6 cm
Incline, 1983
30,4 x 40,6 cm
Channel #1, 1983
30,4 x 40,6 cm
Channel #2, 1983
30,4 x 40,6 cm
Zone, 1986
30,4 x 40,6 cm
Fall, 1986
30,4 x 40,6 cm
Nose Cone, 1986
61 x 50,7 cm
Giving Head to Science, 1986
61 x 67,2 cm

ROBERT ROSINSKY
Elegy Box with Table, 1985
Matériaux mixtes, tables de bois, composantes électroniques et système audio
externe
Installation: 172 x 53,3 x 53,3 cm
Mammals, 1, 2, 3, 1986
Matériaux mixtes, cabinet de bois et composantes électroniques
Mammal 1, 3: 30 x 30 x 15 cm chacune
Mammal 2 : 35 x 30 x 16 cm chacune

TODD SILER
In the Eye of the Electromagnetic Spectrum, 1986
Projecteur, polypropylène, toile de fibre synthétique, latex, pastel, graphite
Forme ellipsoïde: 792 x 152 cm
Prêt: Ronald Feldman, Fine Arts, New York

KEITH SONNIER

Expanded Sel Diptych I, 1979
7 tubes à l'argon et au néon
259 x 304 cm
Prêt: Leo Castelli Gallery, New York
Expanded Sel III, 1979
4 tubes à l'argon et au néon
205,7 x 241,3 cm
Prêt: Leo Castelli Gallery, New York
Expanded Sel IV, 1979
5 tubes à l'argon et au néon
211 x 261,6 cm
Prêt: Leo Castelli Gallery, New York

BARBARA STEINMAN

Cenotaph, 1985
Installation vidéo avec projection de diapositives
Bois, granite, miroirs transparents, plexiglas
Tetraèdre: 152 x 260 cm
Surface de l'installation: 62 m^2 environ

DAVID TOMAS

Through the Eye of the Cyclops, 1985-86
Laser, caméra vidéo, moniteur vidéo, calotype, letrasign, chromatic, tubes
fluorescents jaunes, lumières noires, stroboscope
Surface de l'installation: 60 m^2
Prêt: S.L. Simpson Gallery, Toronto

SERGE TOUSIGNANT

Nature morte aux balles I, II, 1986
Photographie colour de type RC
Diptyque: 101,6 x 261 cm
Étalage culturel / stratégie I, II, III, 1985
Photographie couleur de type RC
76,2 x 101,6 cm chacune
Triptyque: 76,2 x 320 cm
Nature morte aux cônes, I, II, 1986
Photographie couleur de type RC
127 x 101,6 cm chacune
Diptyque: 127 x 202,6 cm

JAMES TURRELL

Danaë, 1983
Lumière et espace
132 x 50,8 x 27,9 cm
Collection: The Mattress Factory, Pittsburg
Prêt: Barbara Luderrowski
Gracieuseté de Marian Goodman Galery, New York

MICHEL VERJUX

Sans titre, 1986
4 projecteurs, 4 parallélipipèdes
Surface de l'installation: 72 m^2
Prêt: Galerie Claire Burrus, Paris

KRZYSZTOF WODICZKO

The Homeless Projection, 1986
Surface de l'installation: 50 m^2
Prêt: The Ydessa Gallery, Toronto

BIBLIOGRAPHIE SOMMAIRE
SELECTED BIBLIOGRAPHY

PIERRE AYOT
Vit à Montréal, Québec, Canada

CLAUDE-PHILIPPE BENOIT
Vit à Hull, Québec, Canada

EXPOSITIONS/EXHIBITIONS

1986   Galerie Les Bastions, Genève, Suisse
1985   Centre culturel canadien, Paris, France
        Galerie GRAFF, Montréal, Canada
1983   Atelier Rue Sainte-Anne, Bruxelles, Belgique
        Ambassade du Canada, Bruxelles, Belgique
1982   Melnychenko Gallery, Winnipeg, Canada
        Stewart Art Gallery, Pointe-Claire, Canada
1981   Langage Plus, Alma, Canada
1980   Musée d'art contemporain, Montréal, Canada
        Galerie Pascal, Toronto, Canada

CATALOGUES

Pierre Ayot, Perspectives et projections, texte de Louise POISSANT, Galerie Graff, Montréal, 1985.

Jeu et trompe-l'oeil, texte de René PAYANT, Centre culturel canadien à Paris, 1985.

Pierre Ayot, propos et projections, texte de René PAYANT et Mikel DUFRENNE, UQAM, Montréal, 1983, 28 p.

5 attitudes/1963-1980, textes de Normand THÉRIAULT et al., Musée d'art contemporain, Montréal, 1981, 132 p.

La Gravure au Québec, texte de Yolande RACINE, Musée d'art contemporain, Montréal, 1981.

Le médium n'est pas le message, texte de Claude GOSSELIN, Musée d'art contemporain, Montréal, 1980, 44 p.

PÉRIODIQUES / PERIODICALS

DAIGNEAULT, Gilles, et DESLAURIERS, Ginette, "La Gravure au Québec (1940-1980)", *Héritage*, Montréal, 1981.

VIAU, René, "Cinq attitudes, une génération à reconnaître", *Le Devoir*, Montréal, samedi 7 février 1981.

SAINT-PIERRE, Marcel, "Cinq attitudes / 1963-1980, Musée d'art contemporain, Montréal", *Parachute*, Montréal, été 1981.

VIAU, René, "Cinq attitudes et un point de départ", *Vie des Arts*, Montréal, vol. XXVL, n° 103, été 1981.

GOSSELIN, Claude, "Pierre Ayot", *Art and Artist*, Londres, Angleterre, vol. 14, n° 12, avril 1980.

ABBOT, Louise, "Pierre Ayot", *ArtsCanada*, Toronto, septembre-octobre 1980.

EXPOSITIONS / EXHIBITIONS

1986   Galerie 101, Ottawa, Canada
        Galerie 44, Toronto, Canada
1985   La Chambre Blanche, Québec, Canada
        Galerie Articule, Montréal, Canada
        Centre d'art contemporain Axe Néo-7, Hull, Canada
1984   Centre d'art contemporain Axe Néo-7, Hull, Canada
1983   Galerie Aubes 3935, Montréal, Canada
        Galerie Montcalm, Hull, Canada

LIVRE D'ARTISTE/ARTIST'S BOOK

Quatorze codes, par Claude-Philippe BENOIT, 1983 (15 exemplaires)

PÉRIODIQUE / PERIODICAL

GAUDREAULT, Léonce, "Une interprétation lumineuse du 7e art", *Le Soleil*, Québec, samedi 7 décembre 1985, p. D-5.

CHRISTIAN BOLTANSKI
Vit à Paris, France

EXPOSITIONS / EXHIBITIONS

1986 Biennale de Venise, Italie
      Wien Fluss, Autriche
      Galerie Crousel Hussenot, Paris, France
1985 Biennale de São Paulo, Brésil
1984 Musée national d'art moderne, Paris, France
1983 Musée national d'art moderne, Paris, France
1981 ARC, Musée d'art moderne de la ville de Paris,
      France
      Artiste invité à Harvard, Boston, États-Unis
      Biennale de Paris, France
1980 Biennale de Venise, Italie

CATALOGUES

Boltanski, texte de Dominique BOZO, Bernard BLIS-
TÈNE et al., Musée national d'art moderne, Paris,
1984, 123 p.

Compositions, texte de Suzanne PAGÉ, Musée d'art
moderne de la ville de Paris, Paris, 1981, 45 p.

La Biennale de Paris, texte de Georges BOUDAILLE et
al., Paris, 1981, 331 p.

La Biennale di Venezia, texte de Harald SZEEMANN et
al., 1980, Venise, 267 p.

Compositions, texte de Dominique VIÉVILLE, Musée des
Beaux-Arts, Calais, 1980.

PÉRIODIQUE / PERIODICAL

DAVETAS, Démosthènes, "Christian Boltanski", *Flash Art
International*, Milan, octobre / novembre 1985, p.
82-83.

CHRIS BURDEN
Vit à Torenga, Californie, États-Unis

EXPOSITIONS / EXHIBITIONS

1985 Lowe Art Museum, Miami, États-Unis
      Wadsworth Atheneum, Hartford, États-Unis
      Lawrence Olivier Gallery, Philadelphie, États-
      Unis
1984 Rosamund Felsen Gallery, Los Angeles, États-
      Unis
1983 Ronald Feldman Fine Arts, New York, États-Unis
1982 Rosamund Felsen Gallery, Los Angeles, États-
      Unis
1981 Los Angeles County Museum of Art, États-Unis
1980 Ronald Feldman Fine Arts, New York, États-Unis
      Whitney Museum of American Art, New York,
      États-Unis

PERFORMANCES

1985 "Tower of Power", Wadsworth Atheneum,
      Hartford, États-Unis
1984 "Beam Drop", Art Park, Lewiston, États-Unis
1983 "Cost Effective Micro Weaponry that Works",
      Ronald Feldman Fine Arts, New York, États-
      Unis
      "Scale Model of the Solar System", Contempo-
      rary Art Center, New Orleans, États-Unis
      "From Neanderthal to the 20th Century", Inter-
      national Performances Festival, Rotterdam,
      Pays-Bas
1982 "The Flying Kayak", Rosamund Felsen Gallery,
      Los Angeles, États-Unis
1981 "Napoléon D'Or", Centre Georges Pompidou,
      Paris, France

VIDEO — FILM

1985 "Beam Drop"
1982 "Fire by Friction"

CATALOGUES

American Renaissance, Florida Museum of Art, Fort Lau-
derdale, 1986.

Modern Machines Recent Kinetic Sculpture, Whitney,
Phillip Morris Branch at 42nd Street, New York, 1985.

The Maximal Implication of the Minimal Line, The Edith
C. Blum Art Institute, the Bard College Center, Annan-
dale-on-Hudson, New York, 1985.

Content: A Contemporary Focus 1974-1984, Hirshhorn
Museum and Sculpture Garden, Smithsonian Institution,
1984.

Automobile and Culture Show, Museum of Contemporary Art, Los Angeles, and Detroit Institute of Art, Detroit, 1984-1985.

DANIEL BUREN
Vit à Paris, France

EXPOSITIONS / EXHIBITIONS

1986   Biennale de Venise, Italie
1985   Biennale de São Paulo, Brésil
        Biennale de Paris, France
        Galerie Daniel Templon, Paris, France
        Musée Seibu, Tokyo, Japon
1984   Biennale de Venise, Italie
1983   Musée d'art et d'industrie, Saint-Étienne, France
        ARC, Musée d'art moderne de la ville de Paris, France
1982   Galerie Massimo Minini, Milan, Italie
        Walter Philips Gallery, Banff, Canada
        Galerie Kamanska, Tokyo, Japon
        Kassel, Allemagne
        Le Nouveau Musée, Villeurbanne, France
        Gallery Konrad Fisher, Düsseldorf, Allemagne
        Galerie France Morin, Montréal, Canada
        Bellman Gallery, Toronto, Canada
1981   Galerie Paul Maenz, Paris, France

CATALOGUES

Daniel Buren, Entretien avec Suzanne PAGÉ, Association française d'action artistique, Ministères des Affaires étrangères, Paris, 1986

Nouvelle Biennale de Paris 85, textes de Georges BOUDAILLE et al., Éd. Electa Moniteur, Paris, 1985, 332 p.

Esposizione Internationale d'Arte. La Biennale di Venezia, texte de Harald SZEEMANN et al., Éd. La Biennale de Venise, 1984, 223 p.

Le retour et la ponctuation, texte de Daniel BUREN, Le Nouveau Musée, Villeurbanne, 1983.

Le Travail et l'écrit de Daniel Buren, une introduction à la philosophie des arts contemporains, texte de Jean-François LYOTARD, Cahier du Cric / le Nouveau Musée Limoges, Lyon, 1982.

Les couleurs / sculptures – les formes / peinture, texte de Daniel BUREN, Paris 1981, Éd. Nova Scotia Press, Halifax, Canada, et Centre Georges Pompidou, Paris, 1981.

PÉRIODIQUES / PERIODICALS

VINCENDON, Sibylle et REYNAERT, François, "Buren soutient ses colonnes", *Libération*, Paris, vendredi 18 avril 1986, p. 20.

FRANCBLIN, Catherine, "Sculpture dans la ville, l'élargissement de la problématique sur l'art", *Art Press*, Paris, no 101, mars 1986, p. 9-15.

RENARD, Delphine, "Daniel Buren, galerie Daniel Templon", *Art Press*, Paris, no 91, avril 1985, p. 66.

RENARD, Delphine, "Daniel Buren, matériaux rayés non identifiés", *Art Press*, Paris, no 69, avril 1983, p. 20-22.

STOULLIG, Claire, "Le travail de Daniel Buren", *Critique*, Paris, avril 1981.

GENEVIÈVE CADIEUX
Vit à Montréal, Québec, Canada

EXPOSITIONS / EXHIBITIONS

1985   AURORA BOREALIS, Montréal, Canada
1984   Musée des Beaux-Arts, Montréal, Canada
1982   The Gallery, Stratford, Canada
        Agnes Etherington Art Centre, Kingston, Canada
1981   Galerie France Morin, Montréal, Canada
        Art Gallery of Hamilton (exposition itinérante), Canada

CATALOGUES

Aurora Borealis, textes de Normand THÉRIAULT et René BLOUIN, Centre international d'art contemporain de Montréal, Montréal, 1985, 176 p.

Avant-scène de l'imaginaire/Theater of the imagination, textes de Yolande RACINE et Pierre LANDRY, Musée des Beaux-Arts de Montréal, Montréal, 1984.

Works by Geneviève Cadieux, text by Robert SWAIN, Agnes Etherington Art Centre, Kingston, 1982.

Viewpoint 29 X 9, text by E. Cumming, The Art Gallery of Hamilton, Hamilton, 1981.

PÉRIODIQUES / PERIODICALS

GRENVILLE, Bruce, "Theater of the Imagination", *C Magazine*, Toronto, spring 1985, p. 58-59.

TOURANGEAU, Jean, et DAGENAIS, Francine, "Aurora Borealis un éditorial canadien", *Vanguard*, Vancouver, novembre 1985.

OILLE, Jennifer, "Aurora Borealis Bureaucratized Art", *Art Monthly*, London, Canada, September 1985.

DAIGNEAULT, Gilles, "Avant-scène de l'imaginaire, participer à l'écriture de l'histoire de l'art", *Le Devoir*, Montréal, décembre 1984, p. 35.

LEPAGE, Jocelyne, "Au M.B.A., mise en scène de l'imaginaire", *La Presse*, Montréal, décembre 1984.

FLEMING, Martha, "Cadieux / Lapointe / Mackenzie", *Artforum*, New York, March 1982.

TOUPIN, Gilles "Cadieux et Koenig, Deux visages de la séduction", *La Presse*, Montréal, 24 octobre 1981, p. C-25.

PHILIPPE CAZAL
Vit à Paris, France

EXPOSITIONS / EXHIBITIONS

1986   Galerie Claire Burrus, Paris, France
       École des Beaux-Arts, Saint-Étienne, France
       Casa Frollo, Venise, Italie
       Espace Nord, Liège, Belgique
1985   Galerie des Arènes, Nîmes, France
       Pavillon des Arts, Paris, France
1984   Galerie J. et J. Donguy, Paris, France
1983   À Pierre et Marie, Paris, France

PERFORMANCE

1983   "Vide et lecture", Centre Georges Pompidou,
       Paris

VIDEOS – FILMS

1983   Rock Habillé
1982   Les demoiselles d'Avignon, avec Jacques
       Fournel

CATALOGUE

Philippe Cazal, texte d'Arielle PÉLENC, Galerie des
Arènes, Nîmes, 1985.

PÉRIODIQUES / PERIODICALS

DESCENDRE, Nadine, "Le syndrome de Protée",
L'Express, Paris, 1986.

SOUTIF, Daniel, "Philippe Cazal à gogo", *Libération*,
Paris, 1985.

GIROUD, Michel, "Un art de la mise en scène", *Canal
magazine*, Paris, 1985.

BORY, Jean-François, "Philippe Cazal, irradié de la culture", *Lotta Poetica*, Italie, n° 23/24, 1984.

BORY, Jean-François, "Un lapin, le chapeau dont il
sort", *Public*, Paris, n° 1, 1984.

DONGUY, Jacques, "Philippe Cazal, artiste situation-
nel", *Artistes*, Paris, n° 19, 1984.

SARDUY, Severo, "Des artistes dé-réalisateurs", *Art
Press*, Paris, n° 70, 1983.

GÉRARD COLLIN-THIÉBAUT
Vit à Hunspach, Outre-Forêt, France

EXPOSITIONS / EXHIBITIONS

1986   The New Museum, New York, États-Unis
       Art Français / Positions, Berlin, Allemagne
1985   Galerie Durand-Dessert, Paris, France
       Bibliothèque Nationale, Paris, France
       Biennale de la Sculpture, Belfort, France
1984   Musée national d'art moderne, Paris, France
       À Pierre et Marie, Paris, France
1983   Le Nouveau Musée, Villeurbanne, France
       Biennale nationale d'art contemporain, Tours,
       France
       Internationale Kunstmesse, Bâle, Suisse
       Le Coin du Miroir, Dijon, France
       ARC, Musée d'art moderne de la ville de Paris,
       France
1982   Galerie Farideh Cadot, Paris, France
       Galerie Durand-Dessert, Paris, France
1981   International Exhibition of Drawings, Lisbonne,
       Portugal

CATALOGUES

Alibis, G. C.-THIÉBAUT, Musée national d'art moderne, Éd. Centre Georges Pompidou, Paris, 1984, p.
55-59.

Le peintre parcourt sa propre exposition, texte de G.
C.-THIÉBAUT (traduit en anglais par Claude KELLER),
Éd. Le Nouveau Musée, Villeurbanne, 1983, 32 p.

PÉRIODIQUES / PERIODICALS

JAVAULT, Patrick, "Gérard Collin-Thiébaut: galerie Durand-Dessert", *Art Press*, Paris, n° 90, mars 1985, p. 70.

GÉRARD, Xavier, "Collin-Thiébaut", *Art Press*, Paris, n°
58, avril 1982, p. 9.

GOLDCYMER, Gaya, "Collin-Thiébaut, David Tremlett,
Galerie Durand-Dessert", *Art Press*, Paris, n° 64, novembre 1982, p. 44.

MARIE-ANDRÉE COSSETTE
Vit à Québec, Québec, Canada

LUC COURCHESNE
Vit à Montréal, Québec, Canada

EXPOSITIONS / EXHIBITIONS

1986   Museum of Holography, New York, États-Unis
Museum of the Rockies, Montana State University, États-Unis
Bibliothèque du Pavillon Bonenfant, Université Laval, Canada

1985   Bibliothèque de Québec, Canada
Explorer's Hall, National Geographic Society Headquarters, Washington, États-Unis
International Symposium on Display Holography, Durand Art Institute, Lake Forest, États-Unis
Interference Hologram Gallery, Toronto, Canada
Canadian Holographic Conference, Ottawa, Canada

1984   "Futuresight", Scottsdale, Arizona, États-Unis
Mackenzie Gallery, Trent University, Peterborough, Canada
Chicago Public Library / Cultural Centre, Chicago, États-Unis
Museum of Holography, New York, États-Unis
Galerie du Musée, Québec, Canada

1983   Galerie de l'École des arts visuels, Faculté des arts, Université Laval, Québec, Canada
Vu, Québec, Canada
Galerie UQAM, Montréal, Canada
"Light Dimension" (exposition itinérante), Bath, Londres, Angleterre
Museum of Holography, New York, États-Unis

1982   International Exhibition of Holography, International Symposium on Display Holography, Durand Art Institute, Lake Forest, États-Unis

1981   Ulster Polytechnic Art and Design Center, Belfast, Irlande

CATALOGUES

Holography (re)defined, René-Paul BARILLEAUX, Museum of Holography, New York, 1984.

PÉRIODIQUES / PERIODICALS

GAUDREAULT, Léonce, "Dépasser la technique pour saisir la vie", *Le Soleil*, Québec, mars 1986.

MARANDA, Jeanne, "Quand la fine technologie et l'art créent l'enchantement", Canadian Woman Studies, in *The Future*, York University, Toronto, vol. 6, n° 2, Spring 1985, p. 36-37.

LORTIE, André, "Surréalisme en trois dimensions", Canadian Woman Studies, *Science and Technology*, York University, Toronto, vol. 5, n° 4, Summer 1984, p. 28.

DELAGRAVE, Marie, "Marie-Andrée Cossette et la magie de l'holographie", *Le Soleil*, Québec, samedi 24 septembre 1983, p. E-8.

MERRYMAN, Marcia, "Poetry and Mystery are Central to the Holography of Marie-Andrée Cossette", *Holosphere*, New York, vol. 12, n° 1, January 1983, p. 4-5.

PRIX / AWARDS

1985   Felix pour la pochette de l'année (ADISQ)

VIDEOS — FILMS

1986   One Day with Miss America
1985   A Corridor Afternoon
Letter to the Unknown Missives
1984   Luc's Bag
Elastic Movies
Bananas Ripen in the Dark
1983   The Past and Future Wheel
Paula
1982   Twelve of Us
Bob Rosinsky's Sister
Marie à New York

VIDÉODISQUES

1985   Encyclopédie claire-obscure
1984   Thirst (Elastic Movies)

CATALOGUES

Aventure, texte de Jean TOURANGEAU, Centre Saidye Bronfman, Montréal, 1986.

Art New Vision '86, texts by Toshihiro YATSHMONJI et al., Nippon High Technology Arts Festival, The Gallery in Seibu Department Store, Tokyo, Japan, 1986, 60 p.

Canadian Video Art, text by René COËLHO et al., Montevideo, Amsterdam, 1985, 62 p.

13ième Festival international du nouveau cinéma, vidéo, Montréal, présentation de Dimitri EIPIDES, 1984.

12ième Festival international du nouveau cinéma, vidéo, présentation de Dimitri EIPIDES, 1983.

Boston: Now, Montréal, text by David ROSS, Institute of Contemporary Art, Boston, 1983.

PÉRIODIQUES / PERIODICALS

GAGNON, Jean, "Le langage vidéo de Boston", *Le Devoir*, Montréal, vendredi, 26 octobre 1984, p. 6.

ROSS, Christine, "TV or not TV", *Parachute*, Montréal, n° 40, septembre / octobre / novembre 1985, p. 34.

JACQUELINE DAURIAC
Vit à Malakoff, France

EXPOSITIONS / EXHIBITIONS

1985   Pavillon des Arts, Paris, France
        Art Gallery of Nova Scotia, Halifax, Canada
        Centre national de la photographie, Paris,
        France
        Biennale de la Paix, Hambourg, Allemagne
        Galerie Bertin, Lyon, France
1984   Nouvel Espace, Tournai, France
        ARC, Musée d'art moderne de la ville de Paris,
        France
        Le Nouveau Musée, Villeurbanne, France
1983   Biennale de Graz, Autriche
        Neue Galerie, Graz, Autriche
        Galerie J. et J. Donguy, Paris, France
        À Pierre et Marie, Paris, France
1981   37 artistes français, Stockholm, Suède
1980   Galerie d'art contemporain, Bordeaux, France
        Biennale de Paris, France
        The Clocktower, New York, États-Unis

PERFORMANCES

1982   Centre Georges Pompidou, Paris, France
1981   Symposium d'art international, ELAC, Lyon,
        France

CATALOGUES

Jacqueline Dauriac, interview par Suzanne PAGÉ, ARC,
Musée d'art moderne de la ville de Paris, 1984.

Jacqueline Dauriac, texte de Jean-Louis MAUBANT,
Neue Galerie, Graz, 1983.

PÉRIODIQUES / PERIODICALS

DESCENDRE, Nadine, "Le syndrome de Protée",
L'Express, Paris, 13 février 1986.

RENARD, Delphine, "L'instant propre de Jacqueline
Dauriac", *Art Press*, Paris, n° 93, juin 1985, p. 27.

DAN FLAVIN
Vit à New York, États-Unis

EXPOSITIONS / EXHIBITIONS

1986   Kijksmuseum, Kröller-Müller, Otterlo, Pays-Bas
1984   Galerie Daniel Templon, Paris, France
        Museum of Contemporary Art, Los Angeles,
        États-Unis
1982   Pacific Design Center, Los Angeles, États-Unis
1981   Leo Castelli Gallery, New York, États-Unis

PÉRIODIQUES / PERIODICALS

RINGNALDA, Mariana, "Dan Flavin", *Art Press*, Paris,
n° 100, février 1986, p. 79-80.

DANIELI, F., "Industrial Icons / Egyptian Deco (Museum
of Contemporary Art, Los Angeles; exhibit", *Art Week*,
New York, vol. 15, June 16 1984, p. 3.

HART, C., "Environment of Light: Ornament in Search of
Architecture", *Industrial Design*, vol. 31, March/April
1984, p. 25.

WORTZ, M., "E.F. Hauserman Company Showroom,
Pacific Design Center", *Artforum*, New York, vol. 21, January 1983, p. 82.

VIGNELLI, M., and VIGNELLI, L., "Light Show; the Hauserman Showroom in the Pacific Design Center, Los Angeles", *Interior Design*, Los Angeles, vol. 53, July 1982,
p. 46

WESTERBECK, C.L., "Leo Castelli Gallery, New York:
Exhibit", *Artforum*, New York, vol. 20, October 1981, p.
76

RATCLIFF, Carter, "Dan Flavin at Castelli", *Art in America*, New York, January 1980, p. 108.

JOHN FRANCIS
Vit à Montréal, Québec, Canada

ELDON GARNET
Vit à Toronto, Ontario, Canada

EXPOSITIONS / EXHIBITIONS

1985   Galerie J. Yahouda Meir, Montréal, Canada
1983   Exposition d'atelier, Magog, Canada
1981   Optica, Montréal, Canada

PÉRIODIQUES / PERIODICALS

LÉGER, Danielle, "John Francis", *Galerie J. Yahouda Meir*, Montréal, Bulletin 12, 1985.

TOUPIN, Gilles, "Francis, Wood et Tremblay", *La Presse*, Montréal, samedi 27 juin 1981, p. D-18.

NIXON, Virginia, "As Inherent Charm", *The Gazette*, Montreal, Saturday, June 20, 1981, p. 119.

EXPOSITIONS / EXHIBITIONS

1985   Artculture Resource Centre, Toronto, Canada
1984   PS 1, New York, États-Unis
1983   Musée d'art contemporain, Montréal, Canada
           Zona, Florence, Italie
1981   The Canadian Centre for Photography, Toronto, Canada
           Isaacs Gallery, Toronto, Canada

LIVRES D'ARTISTE / ARTIST'S BOOKS

Caves, by Eldon GARNET, published by Artculture Resource Centre Inc., 1984.

Tongues 1980-1990, by Eldon GARNET, AIWI Edition, 1980.

CATALOGUES

Latitudes and Parallels, the Winnipeg Art Gallery, Winnipeg, 1983.

Eldon Garnet, Cultural Connections, text by Eldon GARNET, Image nation, Toronto, 1982, 70 p.

MARVIN GASOI
Vit à New York, États-Unis

JUAN GEUER
Vit à Almonte, Ontario, Canada

EXPOSITIONS / EXHIBITIONS

1986   Musée d'art contemporain, Montréal, Canada
1985   Art 45, Montréal, Canada
      Beijing, Chine
      Perspektif, Rotterdam, Pays-Bas
      Art City, New York, États-Unis
      Vu, Québec, Canada
1984   Presentation House, Vancouver, Canada
      The 49th Parallel, New York, États-Unis
      Diaframma, Milano, Italie
      Collage Galerie de Arte, Mexico, Mexique
      Art 45, Montréal, Canada
      Art City, New York, États-Unis
      Oil and Steel Gallery, New York, États-Unis
1983   Gallery Hybrydy, Warsaw, Pologne
      Winnipeg Art Gallery, Winnipeg, Canada
1982   Art 45, Montréal, Canada
1980   Galerie Optica, Montréal, Canada

PRIX / AWARD

1981   Nikon International Award

CATALOGUES

Le magie de l'image, texte de Paulette GAGNON, Musée d'art contemporain, Montréal, 1986.

Latitudes et Parallels, Winnipeg Art Gallery, Winnipeg, 1983.

Portfolio, published in *Time-Life Photography Annual*, United States, 1981.

Nikon International Catalogue, 1981.

PÉRIODIQUE / PERIODICAL

DAIGNEAULT, Gilles, "Cinq galeries, cinq artistes, cinq attitudes", *Le Devoir*, Montréal, 21 septembre 1985, p. 35.

EXPOSITIONS / EXHIBITIONS

1985   Museum Boymans van Beuningen, Rotterdam, Pays-Bas
      Stadtische Galerie, Regensberg, Pays-Bas
      Het Apollohuis, Eindhoven, Pays-Bas
      R E M galerie, Vienna, Autriche
      Galerie Giannozzo, Berlin, Allemagne
1984   Interference Gallery, Toronto, Canada
      Centre culturel canadien, Paris, France
1983   Off Centre, Calgary, Canada
      Musée d'art contemporain, Montréal, Canada
      Mackenzie Gallery, Trent University, Peterborough, Canada
1982   Music Gallery, Toronto, Canada
      Kingston Artists' Association Inc., Kingston, Canada
      Musée des Beaux-Arts du Canada, Ottawa, Canada
      Art Gallery of Hamilton, Hamilton, Canada
1981   Mercer Union, Toronto, Canada
      University of Western Ontario, London, Canada
      S.A.W. Gallery, Ottawa, Canada

CATALOGUES

Wetenschap en Waarneming in het werk van Juan Geuer, Cor Blok, Museum Boymans van Beuningen, Rotterdam, 1985, 19 p.

El Asnaam, sismomètre à participation humaine, Holmes Willard, Centre culturel canadien, Paris, 1984.

PÉRIODIQUES / PERIODICALS

VERMEULEN, Rob, "Geuer: evenwicht tussen kunst en wetenschap", *Rotterdams Niewsblad*, Rotterdam, March 23, 1985.

SOTIFFER, Kristion, "Pulsschlag des Erde", *Die Presse*, Wien, Austria, 12,4,85.

BURNETT, David, and SCHIFF, Marlyn, *Contemporary Canadian Art*, Edmonton, Hurtig, 1983, p. 242-243.

SABBATH, Lawrence, "Seismometer's fascinating but is it really art", *The Gazette*, Montréal, May 28, 1983.

TOUSLEY, Nancy, "Perpetual Dependence Integrator an installation", *Calgary Herald*, Calgary, May 19, 1983.

TOUPIN, Gilles, "Juan Geuer, poète et homme de science", *La Presse*, Montréal, 30 avril 1983.

BATEMAN, David, "Geuer reunites art and technology", *Arthur Trent University*, Peterborough, January 1983.

GEUER, Juan, "The Truthseeker Company", *Musicworks*, Toronto, n° 2, Autumn 1982.

ROBINSON, J. Rebecca, "Juan Geuer, National Gallery of Canada", *Artscanada*, Toronto, vol. XXXIX, n° 1, nos 248-249, November 1982, p. xvii-xix.

MICHAEL HAYDEN
Vit à Hollywood, Californie, États-Unis

EXPOSITIONS / EXHIBITIONS
1985 Ruth Bachofner Gallery, Los Angeles, États-Unis
1983 Canada House, Londres, Angleterre
The Nickle Arts Museum, Calgary, Canada
The Graham Foundation, Chicago, États-Unis
1982 Galerie Denise René, Paris, France
Centre culturel canadien, Paris, France
1981 Art Gallery of Hamilton, Hamilton, Canada
The Winnipeg Art Gallery, Winnipeg, Canada
1980 Harbourfront Art Gallery, Toronto, Canada
ARCO Centre for Visual Art, Los Angeles, États-Unis

CATALOGUES
Phase Shift, texte de Allen KARYN, Galerie Denise René, Paris, 1982, Centre culturel canadien, Paris, 1982, Canada House, London, 1982.

The Spirituality of Light, texte de Allen KARYN, Art Gallery of Hamilton, 1981, the Winnipeg Art Gallery, Winnipeg, 1981, 27 p.

The Spirituality of Light, essay by Allen KARYN, ARCO Centre for Visual Art, Los Angeles, 1980.

PÉRIODIQUES / PERIODICALS
ENSOR, Dennis, "Let there be Light", *Buffalo News*, Buffalo, October, 29, 1982, p. B-15.

DREYFUSS, John, "Architects Bat 500 on Two Local Buildings", *Los Angeles Times*, Los Angeles, May 18, 1982, p. 110-111.

BODOLAI, Joe, "The Artist's Eye", *Artscanada*, Toronto, 40th Anniversary Issue, vol. 244-245-246-247, March 1980, p. 128-130.

J.J.L., "Michael Hayden au Centre culturel canadien", *Les Nouvelles littéraires*, Paris, Février 1982.

J.W., "Le Spectrum Solaire", *Le Figaro*, Paris, 24 février 1982.

LITTLE, Margaret, "Calgary the Beautiful Needn't Be a Dream", *Calgary Herald*, Calgary, December, 19, 1981.

LITTLE, Margaret, "Artists Prefer Subways to Art Galleries", *Calgary Herald*, Calgary, November, 19, 1981.

WHITE, Stephane, "Art Must Be Seen as an Integral Part of Architectonics", *Calgary Herald*, Calgary, April 25, 1981.

KIP, Park, "Michael Hayden Winnipeg Art Gallery", *Vanguard*, Vancouver, vol. 10, n° 8, October 1981.

TIM HEAD
Vit à Londres, Angleterre

EXPOSITIONS / EXHIBITIONS
1986 Anthony Reynolds Gallery, Londres, Angleterre
1985 Institute of Contemporary Arts, Londres, Angleterre
National Museum of Photography, Bradford, Angleterre
Anthony Reynolds Gallery, Londres, Angleterre
Interim Arts, London and Cambridge Darkroom, Angleterre
1983 Art Internationale Kunstmesse, Allemagne
University of Pennsylvania, Philadelphie, États-Unis
1981 Tate Gallery, Londres, Angleterre
5th International Biennal Wiener Secession, Vienne, Autriche
1980 La Biennale de Venise, Italie
I.C.C., Anvers, Pays-Bas
Galerie Bama, Paris, France
The Solomon Guggenheim Museum, New York, États-Unis
Royal Academy of Arts, Londres, Angleterre

CATALOGUES
The Tyranny of Reason, text by the artist, Institute of Contemporary Arts, London, March 17, 1985.

Tim Head, text by Jean FISHER, Provincial Museum Hasselt, 1983, 26 p.

La Biennale di Venezia, texts by Harald SZEEMANN et al., Catalogo generale, Venezia, c. 1980, c. 1982.

Beyond Surface, text by Florent BEX, I.C.C., Antwerpen, 1980, 77 p.

Tim Head, text by Norbert LYNTON, Published by Fine Arts Dept., British Council, 1980.

PÉRIODIQUES / PERIODICALS
BONAVENTURA, Paul, "The State of the Art", *Metropolis*, New York, n° 3, July/August 1985.

ROBERTS, John, "Tim Head and the Social Space of Sculpture", *AND*, London, n° 5, 1985.

CORK, Richard, "Art on view", *The New Standard*, London, June 2, 1981.

HUGUES, Robert, "From sticks to cenotaphs", *Time*, London, February 11, 1980.

FORGEY, Benjamin, "Review", *The Washington Star*, February 3,1980.

FERRARI, Corinna, "L'Unita e il suo doppio", *Domus*, Italie, février 1980, p. 54.

ZIMMER, William, "London Stalling", *Soho News*, London, January 30, 1980.

WOLFF, Theodore F., "British Art Now: a joy to behold", *Christian Science Monitor*, January 30, 1980.

VAIZEY, Marina, "Eight From England", *Art News*, New York, vol. 79, n° 1, January 1980, p. 74-78.

NAN HOOVER
Vit à Amsterdam, Hollande

PAUL HUNTER
Vit à New York, États-Unis

EXPOSITIONS / EXHIBITIONS

1985 Galerie Paladïn, Amsterdam, Pays-Bas
De Vleeshal, Middelburg, Pays-Bas
1984 Stedelijk Museum, Amsterdam, Pays-Bas
Biennale de Venise, Italie
Kunsthaus, Hambourg, Allemagne
1982 Museum of Contemporary Art, Chicago, États-Unis
Musée d'art contemporain, Montréal, Canada

PERFORMANCES

1986 Städtisches Museum Abteiberg Monchengladbach, Allemagne
Staatiliche Kunstakademie, Düsseldorf, Allemagne
The Seibu Museum of Art, Tokyo, Japon
The Spring Gallery, Taipei, Taiwan
Kunsthalle zu Kiel, Kiel, Allemagne
1985 Long Beach Museum of Art, États-Unis
San Francisco Art Institute, États-Unis
Fundacao Gulbenkian, Lisbonne, Portugal
Stedelijk Museum, Amsterdam, Pays-Bas
Tate Gallery, Londres, Angleterre
1984 De Kijkschuur, Acquoy, Pays-Bas
1983 National Pinakothiki, Athènes, Grèce
1982 Haags Gemeentemusem, Maastricht, Pays-Bas
Stedelijk Museum, Amsterdam, Pays-Bas
1981 Doors Neuer Berliner Kunstverein Städische Galerie, Munich, Allemagne
Musée municipal de Schiedam, Pays-Bas
Kunstlerhaus Bethamien, Berlin, Allemagne
1980 Living Art Museum, Reykjavic, Islande

VIDEOS – FILMS

"Experimental Films in Holland", Stedelijk Museum
"Spatial Relationships in Video" (group), Museum of Modern Art, New York
1983 Montreal Film and Video Festival

CATALOGUES

Performance and installations in light, Nan Hoover de-Vleeshal Middelburg, May 25, 1985.

Video-Katalog, Dauerliehgabe Ingrid Oppenheim, Alfred Fisher, Städtische Kunstmuseum, Bonn, 1984, 72 p.

Photo, vidéo, performance 1980-1982, texte de Claude GOSSELIN, Musée d'art contemporain, Montréal, 1982, 24 p.

Photowork video performance, Jürn Merkert, Berliner Kunstle programm des Deutschen, Akademischen Austauschdienstes (DAAD), 1981.

PÉRIODIQUES / PERIODICALS

WOOSTER, Ann-Sargent, "Manhattan Shortcuts", *Afterimage*, New York, November 1985.

HARTNEY, Mick, "Nan Hoover", *Art Monthly*, London, May 1983, p. 34.

EXPOSITIONS / EXHIBITIONS

1986 80 Washington Square Gallery, New York, États-Unis
The Clocktower, New York, États-Unis
City Gallery, New York, États-Unis
Art Expo Tokyo 86, Tokyo, Japon
A & P Gallery, New York, États-Unis
Visual Center of AK, Anchorage and New York, États-Unis
Sees, Lorne, France
1985 Art Expo Tokyo 85, Tokyo, Japon
Islip Art Museum, New York, États-Unis
Alternative Museum, New York, États-Unis
Bertha Urdang Gallery, New York, États-Unis
The Clocktower, New York, États-Unis
1984 The Drawing Center, New York, États-Unis
Webb & Parsons Gallery, New Canaan, États-Unis
301 East Houston Gallery, New York, États-Unis
H.F. Manes Gallery, New York, États-Unis
A.I.R. Gallery, New York, États-Unis
1983 Artists Space, New York, États-Unis
Brooklyn Academy of Creative Arts, New York, États-Unis
Jack Tilton Gallery, New York, États-Unis
1981 Galerie Motivation V, Montréal, Canada

PRIX / AWARDS

1986-85 National Studio Program, the Institute for Art and Urban Resources, New York
1985-84 National Fellowship for Creative Artists

VIDEO – FILM

1983 Collaboration with Yves Simoneau, New York
The Business of Being an Artist, New York

CATALOGUES

Studio Artists, the Institute for Urban Resources, New York, 1985-86.

Technics: Art and Machines, Marina La Palma, Alternative Museum, New York, 1984.

KRISTIN JONES et ANDREW GINZEL
Vivent à New York, États-Unis

DIETER JUNG
Vit à Cambridge, Massachusetts, États-Unis

EXPOSITIONS / EXHIBITIONS

1986   Wadsworth Atheneum, Hartford, États-Unis
The New Museum of Contemporary Art, New York, États-Unis
Art Galaxy, New York, États-Unis
The Virginia Museum of Fine Arts, Richmond, États-Unis
Art in the Anchorage, Creative Time, New York, États-Unis
The Clocktower, Institute for Art and Urban Resources, New York City Gallery, New York, États-Unis

1985   The Whitney Museum of American Art at Philip Morris, New York, États-Unis
The Storefront for Art and Architecture, New York, États-Unis

PÉRIODIQUES / PERIODICALS

ANONYME, "On Location Inventing Pangaea", *Artforum*, New York, February 1986, p. 4-5.

PANICELLI, Ida, "Kristin Jones and Andrew Ginzel", *Artforum*, New York, November 1985, p. 102.

CAMERON, Dan, "Springtime on the Fringe", *Arts Magazine*, Toronto, September 1985, p. 67.

RAYNOR, Vivien, "Clocktower", *New York Times*, Friday, February 15, 1985.

KRISTIN JONES — SOLO

1984   Galerie Arco d'Alibert, Rome, Italie
1982   Main Gallery, Museum of Art RISD, Providence, États-Unis
Cushing Gallery, Newport Art Association, États-Unis
Beinecke Plaza, Yale University, New Haven, États-Unis

PRIX / AWARDS

1985   Robert C. Scull Foundation for the Arts, New York
Artist Grant, Artists Space, New York
Sculpture Award, YADDO, Saratoga Springs, New York
1984-86 PS 1 Studio Artist, National Studio Program, The Institute for Art and Urban Resources, New York
1983-84 Fulbright Grant to Rome, Italy

ANDREW GINZEL — SOLO
PRIX / AWARDS

1985-86 Fulbright Fellowship to India
1984   Innovative Design Fund Award / National Endowment for the Arts
Invention "Textile Machinery and Process for Producing Design Patterns on Materials", M.I.T., Boston

EXPOSITIONS / EXHIBITIONS

1986   Musée des Beaux-Arts, Mulhouse, France
Centre for Advanced Visual Studies, at M.I.T., Cambridge, États-Unis
1985   Kluuvin Galleria, Helsinki, Finlande
Dominikanerkirche, Osnabrück, Allemagne
Museum of Holography, New York, États-Unis
Galerie du Musée, Québec, Canada
1984   Hong Kong Arts Centre, Hong Kong
Fine Arts & Holographic Centre, Chicago, États-Unis
Museum de Arte de São Paulo, São Paulo, Brésil
Palacio das Artes, Belo Horizonte, Brésil
Galerie für Holographie, Art '84, Bâle, Suisse
Hologram Gallery, Stockholm, Suède
1983   Galerie für Holographie, Bâle, Suisse
Hara Museum of Contemporary Art, Osaka, Japon
Osaka Contemporary Art Centre, Osaka, Japon
Gallery Sanchika, Kobe, Japon
Hong Kong Art Centre, Hong Kong
1982   A.M. Sachs Gallery, New York, États-Unis
Poindexter Gallery, New York, États-Unis
1981   Centre Georges Pompidou, Paris, France
1980   Musée Français de l'Holographie, Paris, France

CATALOGUES

Dieter Jung, texte d'Andrée LALIBERTÉ-BOURQUE, Galerie du Musée, Québec, 1985.

Dieter Jung, text by Eberhard ROTERS, Museum of Holography, New York, 1985-86.

Dieter Jung, Kluuvin Gallery, Helsinki, 1985.

Dieter Jung, text by Eberhard ROTERS and Bernhard KERBER, Galerie für Holographie, Basel, 1983.

Dieter Jung, text by Eberhard ROTERS, Hara Museum of Contemporary Art, Tokyo, 1983.

Dieter Jung, Painting, Drawing, Holograms, text by Eberhard ROTERS and Bernhard KERBER, A.M. Sachs Gallery, New York, 1982.

PÉRIODIQUES / PERIODICALS

ENZENSBERGER, H.M., "Das Langsame Verschwinden der Personen", *Suhrkamp 2024*, Frankfurt M. 1984, p. 15-17.

SABBATH, Lawrence, "Two Exhibits Reveal Complexity of Artist-Audience Relation", *The Gazette*, Montreal, Saturday, November 13, 1982, p. G-6.

ROTERS, Eberhard, "Dieter Jung", *La Revue parlée*, Centre Georges Pompidou, Paris, 1981.

TOUPIN, Gilles, "Jack Bush et ses amis", *La Presse*, Montréal, lundi 22 novembre 1982, p. A-2.

JON KESSLER
Vit à New York, États-Unis

EXPOSITIONS / EXHIBITIONS
1985   Luhring, Augustine & Hodes Gallery, New York, États-Unis
1984   Gallery Bellman, New York, États-Unis
1983   White Columns, New York, États-Unis
       Artists Space, New York, États-Unis

CATALOGUES
Jon Kessler, text by Gary INDIANA, Luhring, Augustine & Hodes Gallery, New York, 1985

Whitney Biennal Exhibition, Whitney Museum of American Art, New York, 1985, 130 p.

An International Survey of Recent Painting and Sculpture, text by Kynaston McShine, Museum of Modern Art, New York, 350 p.

PÉRIODIQUES / PERIODICALS
CAMERON, Dan, "A Whitney Wonderland", *Arts Magazine*, New York, Summer 1985, p. 66-69.

FLAM, Jack, "The Museum as Funhouse", *Wall Street Journal*, New York, March 22, 1985.

KOHN, Michael, "Whitney Biennal", *Flash Art*, New York, no 123, Summer 1985, p. 54.

LEVIN, Kim, "The Whitney Laundry", *Village Voice*, New York, April 9, 1985.

LEVIN, Kim, "Benefit Exhibition", *Village Voice*, New York, May 22, 1985.

LEVIN, Kim, "High-Tech Chow Mein", *Village Voice*, New York, November 5, 1985, p. 98.

LIEBMAN, Lisa, "At the Whitney Biennal", *Artforum*, New York, Summer 1985, p. 56-61.

McKENNA, Kristine, "The Art Galleries", *Los Angeles Times*, Los Angeles, August 30, 1985, part VI.

PERRONE, Jeff, "The Salon of 1985", *Arts Magazine*, New York, Summer 1985, p. 70-73.

SEIDEL, Miriam, "Light (Art) in August", *New Art Examiner*, Chicago, October 1985.

BALET, Marc, and BECKER, Robert, "Assemblages: Ten Artists Put, Ten Objects to Good Use", *Interview*, New York, November, 1984, p. 106.

GLUECK, Grace, "Jon Kessler", *New York Times*, New York, June 1, 1984.

KOHN, Michael, "Jon Kessler", *Flash Art*, New York, October 1984, p. 41.

HOLLY KING
Vit à Montréal, Québec, Canada

EXPOSITIONS / EXHIBITIONS
1986   Musée d'art contemporain, Montréal, Canada
       John A. Schweitzer Gallery, Montréal, Canada
1985   Galerie Dazibao, Montréal, Canada
1983   Galerie Graff, Montréal, Canada
1981   Galerie Articule, Montréal, Canada
1980   La Chambre blanche, Québec, Canada

PERFORMANCES
1981   Two Characters II, Grange Arts and Performances, Toronto, Canada
1980   Deux Caractères, Symposium de la Sculpture, Chicoutimi, Canada
       Deux Caractères, Véhicule, Montréal, Canada
       Deux Caractères, La Chambre Blanche, Québec, Canada

CATALOGUES
La Magie de l'image, texte de Paulette GAGNON, Musée d'art contemporain, Montréal, 1986.

Scénarios, texte de Chantal Boulanger, 1985.

Fragments: La photographie actuelle au Québec, texte de Denis LESSARD, Vu, Québec, 1985.

Situational Photography: 10 artists, texts by Walter COTTEN, Arthur OLLMAN, and Denis KOMAC, University Art Gallery, San Diego State University, San Diego, 1984.

La photographie actuelle au Québec, textes de Jean TOURANGEAU et Katherine TWEEDIE, Centre Saidye Bronfman, Montréal, 1983.

L'art de la performance au Québec, texte de Jean TOURANGEAU, OKANADA Akademie der Künste, Berlin, 1983.

Art Montréal: Performativité, texte de Jean TOURANGEAU, Montréal, 1982.

Performances, texte de Michèle WAQUANT, La Chambre Blanche, Québec, 1980.

PÉRIODIQUES / PERIODICALS
SABBATH, Lawrence, "Holly King", *The Gazette*, Montréal, February 16, 1985, p. A-15.

SIMON, Cheryl, "Holly King", *Vanguard*, Vancouver, vol. 14, no 3, April 1985, p. 48.

TIFFET, Paul, "Holly King", *Parachute*, Montréal, vol. 39, 1985.

DAIGNEAULT, Gilles, "Cinq femmes: Holly King", *Le Devoir*, Montréal, 16 février 1985.

BOULANGER, Chantal, "Art as an Ellipse", *Vanguard*, Vancouver, February 1984, p. 26-29.

KELLEY, Jeff, "Camera is a mere player in world of staged art", *Los Angeles Times*, Los Angeles, March 3, 1984.

PAYANT, René, "Holly King", *Parachute*, Montréal, vol. 24, 1981, p. 55.

BERTRAND LAVIER
Vit à Aignay-le-Duc, France

ANGE LECCIA
Vit à Paris, France

EXPOSITIONS / EXHIBITIONS

1986   Galerie Buchman, Bâle, Suisse
       Musée d'art contemporain, Montréal, Canada
1985   Biennale de São Paulo, Brésil
       ARC, Musée national d'art moderne de la ville
         de Paris, France
       Musée Seibu, Tokyo, Japon
       Biennale de Paris, France
1984   Galerie Durand-Dessert, Paris, France
       Lisson Gallery, Londres, Angleterre
       Kunsdalle, Berne, Allemagne
       Galerie Buchman, Bâle, Suisse
       Galerie Locus Solus, Gênes, Italie
1983   Galerie Zabriskie, New York, États-Unis
       Galerie Massimo Minimi, Milan, Italie
       Lisson Gallery, Londres, Angleterre
       Le Nouveau Musée, Villeurbanne, France
       Galerie Durand-Dessert, Paris, France
       Galerie Michèle Lachowsky, Anvers, Belgique
1982   Kassel, Allemagne
       Galerie Michèle Lachowsky, Anvers, Belgique
       Galerie Media, Neuchâtel, Allemagne
1981   Galerie Eric Fabre, Paris, France

CATALOGUES

Nouvelle Biennale de Paris, textes de George BOU-DAILLE et al., Éd. Electa Moniteur, Paris, 1985, 332 p.

Bertrand Lavier, texte de Xavier DOUROUX et Frank GAUTHEROT, Le Nouveau Musée, Villeurbanne, 1983, 56 p.

Leçon des choses, texte de Jean-Hubert MARTIN, entretien avec Bertrand Lavier, Berne, 1982.

PÉRIODIQUES / PERIODICALS

GROUT, Catherine, "Bertrand Lavier", *Flash Art*, New York, March 1986, p. 55-57.

CELANT, Germano, "A Brush with the Real", *Artforum*, New York, October 1985, p. 84-87.

ANONYME, "Douze artistes dans l'espace", *Art Press*, Paris, juillet/août 1985, p. 24.

COULANGE, Alain, "Michel Verjux, Marie Bourget, Bertrand Lavier, objets de l'art et objets d'art", *Art Press*, Paris, n° 90, 1985, p. 34-36.

FRANCBLIN, C., "Nouveau Musée, Lyon: exhibit", *Art in America*, New York, vol. 72, February 1984, p. 159.

FRANCBLIN, Catherine, "Bertrand Lavier, une certaine idée de la peinture", *Art Press*, Paris, n° 86, novembre 1984, p. 34-37.

BROOKS, Valerie, "Three French artists (Zabriskie Gallery, New York: exhibit)", *Flash Art*, New York, n° 114, November 1983, p. 69.

SOULILLOU, Jacques, "Apologie du recouvrement", *Art Press*, Paris, n° 75, novembre 1983, p. 26.

STASSER, Catherine, "Bertrand Lavier: Galerie Eric Fabre", *Art Press*, Paris, n° 56, février 1982, p. 36.

EXPOSITIONS / EXHIBITIONS

1986   The Solomon Guggenheim Museum, New York,
         États-Unis
       Biennale de Venise, Italie
       Galerie Christian Laune, Montpellier, France
       1985-86 Biennale d'Art Contemporain, Tours,
         France
1985   F.R.A.C. Midi-Pyrénées, Toulouse, France
       ARC, Musée d'art moderne de la ville de Paris,
         France
       ELAC, Lyon, France
       College of Art and Design, Halifax, Canada
       Pavillon des Arts, Paris, France
1984   Galerie Lucien Durand, Paris, France
       Galerie Deambrogi, Milan, Italie
1983   Galerie Arco d'Alibert, Rome, Italie
1981   Galerie Lucien Durand, Paris, France
1980   Galerie du Haut du Pavé, Paris, France
       Galerie Marie-Christine Lasserre, Paris, France

CATALOGUES

Ange Leccia, Interview par Laurence BOSSÉ et Suzanne PAGÉ, ARC, Musée d'art moderne de la ville de Paris, 1985.

Ange Leccia, texte de Daniel SOUTIF, Le Nouveau Musée, Villeurbanne, Lyon, 1984.

Ange Leccia, texte de Marie-Laure BERNADAC, catalogue Villa Medicis, mars 1983.

Ange Leccia, texte de Achille Bonito OLIVA, catalogue Nell'Arte, juillet 1983.

PÉRIODIQUES / PERIODICALS

THOMAS, Mona, "Ange Leccia", *Beaux Arts Magazine*, Paris, n° 30, décembre 1985, p. 90-91.

NURIDSANY, Michel, "Angel Leccia, L'Écran du Rêve", *Public*, Paris, n° 3, p. 67-71.

PIGUET, Philippe, "Ange Leccia", *Flash Art*, New York, automne 1985, p. 31.

DURAND-FUCHAL, Frederick, "L'Amérique redécouvre la France", *L'art vivant*, Paris, mars-avril 1985, p. 20-21.

GILLES MIHALCEAN
Vit à Montréal, Québec, Canada

GÉRALD MINKOFF
Vit à Genève, Suisse, et à Arboset, Espagne

EXPOSITIONS / EXHIBITIONS

1986   Galerie du Musée, Québec, Canada
Centre Saidye Bronfman (exposition itinérante), Montréal, Canada
1985   Galerie Optica, Montréal, Canada
49th Parallel, New York, États-Unis
Art Bank (exposition itinérante: Washington, Atlanta, Dallas, San Diego, Los Angeles, Chicago, New York), États-Unis
ELAC, Lyon, France
1984   Mercer Union, Toronto, Canada
1981   École nationale de théâtre, Montréal, Canada
Galerie France Morin, Montréal, Canada
1980   Musée d'art contemporain, Montréal, Canada

CATALOGUES

Aventure, texte de Jean TOURANGEAU, Centre Saidye Bronfman, Montréal, 1986.

Québec, Montréal art contemporain, texte d'introduction de Claude GOSSELIN, Lyon, France, 1985.

L'art pense, texte de Louise POISSANT, 10e congrès international d'esthétique, La société d'esthétique du Québec, 1984.

PÉRIODIQUES / PERIODICALS

DAGENAIS, Francine, "Gilles Mihalcean Optica 1985", *Vanguard*, Vancouver, septembre 1985.

DAIGNEAULT, Gilles, "Quand la sculpture se fait haïku", *Le Devoir*, Montréal, 18 mai 1985.

LANDRY, Pierre, "Détours, voire ailleurs", *Parachute*, Montréal, n° 32, 1983.

TOURANGEAU, Jean, "Détours, voire ailleurs", *Vanguard*, Vancouver, novembre 1983.

TOUPIN, Gilles, "Enrichir la sculpture", *La Presse*, Montréal, 19 décembre 1981.

BURNETT, David, "Québec 75: arts 1", *Arts Canada*, Toronto, 206/207, août 1976.

ANDERSON, Jon, "The show goes on", *Times*, New York, November 1975.

EXPOSITIONS / EXHIBITIONS

1986   Musée d'art et d'histoire, Genève, Suisse
Galerie Graff, Montréal, Canada
Galleria d'Arte Moderna, Bologne, Italie
1985-86 Musée des Arts décoratifs, Lausanne, Suisse
1985   Centre Georges Pompidou, Paris, France
Centre de la photographie, Genève, Suisse
1984   Espace Un, Genève, Suisse
Galerie Lara Vincy, Paris, France
Art 15'84, Bâle, Suisse
"Vidéo 84", Galerie de l'Université du Québec à Montréal, Canada
Kunstmuseum, Berne, Suisse
Palais des Beaux-Arts, Bruxelles, Belgique
Galerie Crita Insam, Vienne (vidéo/performance), Autriche
Vidéoinstallation, Barcelone, Espagne
IBM Gallery of Science and Art, New York, États-Unis
1983   Palazzo dei Priori, Volterra, Italie
Work Gallery, Zurich, Suisse
Palazzo San Massimo, Salerno, Italie
Petra Benteler Gallery, Houston, États-Unis
Franklin Institute Science Museum, Philadelphie, États-Unis
Art 14'83, Bâle, Suisse
Art sin Tumas, Domat/Ems, Suisse
IBM Gallery of Science and Art, New York, États-Unis
Mercato San Severino, Italie
1982   Kunstmuseum, Düsseldorf, Allemagne
1981-82 International Video Art Festival, Kobe, Japon
Art Gallery, Vienne, Autriche
1980   Städtische Galerie, Lüdenscheid, Allemagne

CATALOGUES

Image 4, exposition "Photographie sans caméra", Centre de la photographie, Genève, 1985.

Muriel Olesen, Gérald Minkoff, Arbeitstitel, textes de M. ARBASET et Mario CASTA (traduction de G. Minkoff), Éd. Kunstlerheft, Pro Helvetia, 1984, 16 p.

Vidéo 84, rencontre vidéo international de Montréal, collectif, Montréal, 1984, 89 p.

Vidéo installations, introduction par Gérald MINKOFF, Éd. Videomixmedia, IIIe Festival international d'art vidéo, Locarno, 1982.

PÉRIODIQUE / PERIODICAL

ANONYME, "Pangaea", *Artforum*, New York, February 1986, p. 4-5.

BRUCE NAUMAN
Vit à Los Angeles, Californie, États-Unis

EXPOSITIONS / EXHIBITIONS

1986   Galerie Jean Bernier, Athènes, Grèce
1985   Leo Castelli Gallery, New York, États-Unis
1984   Daniel Neinberg Gallery, Los Angeles, États-Unis
       Leo Castelli Gallery, New York, États-Unis
1983   Carol Taylor Art, Dallas, États-Unis
       Museum Haus Esters, Düsseldorf, Allemagne
       Gallery Konrad Fisher, Düsseldorf, Allemagne
1982   Leo Castelli Gallery, New York, États-Unis
       Richard L. Nelson Gallery, Californie, États-Unis
       Baltimore Museum of Art, Baltimore, États-Unis
       Sperone Westwater Fisher Inc., New York, États-Unis
1981   Texas Gallery, Houston, États-Unis
       Ace Gallery, Californie, États-Unis
       Young Hoffman Gallery, Chicago, États-Unis
       Rijksmuseum Kröller-Müller, Otterlo, Allemagne
1980   Barcter Art Gallery, Californie, États-Unis
       Leo Castelli Gallery, New York, États-Unis
       Hills Gallery of Contemporary Art, Santa Fe, New Mexico
       Galerie Konrad Fisher, Düsseldorf, Allemagne

CATALOGUES

Bruce Nauman: neons, text by Brenda RICHARDSON, The Baltimore Museum of Art, Baltimore, 1982, 103 p.

Bruce Nauman: 1972-1981, texts by Katharina SCHMIDT, Ellen JOOSTEN and Siegmar HOLSTEN, Rijksmuseum, Kröller-Müller, Otterlo, 1981, 88 p.

Architectural Sculpture, text by Debra BURCHETT, editors, Bridget Johnson and Howard Singerman, Los Angeles Institute of Contemporary Art, Los Angeles, 1980, 2 vol.

PÉRIODIQUES / PERIODICALS

VAN BRUGGEN, Coosje, "Entrance Entrapment Exit", *Artforum,* New York, Summer 1986, p. 88-97.

NAUMAN, Bruce, "Bruce Nauman, Leo Castelli", *Flash Art,* New York, n° 126, Feb./March 1986, p. 48.

STORR, Robert, "Bruce Nauman, le fou-pas-si-saint" (traduit de l'anglais par Fabienne Durand-Bogaert), *Art Press,* Paris, n° 89, février 1985, p. 9-13.

RATCLIFF, C., "Castelli Greene Street Gallery: Sperone Westwater", *Art in America,* New York, vol. 73, March 1985.

POHLEM, A., "Gallery Fisher Dusseldorf Museum Haus Esters, Krefeld; exhibits", *Artforum,* New York, vol. 22, May 1984, p. 95-96.

SCHJELDAHL, Peter, "Art: Only Connect", *The Village Voice,* New York, January 20-26, 1982, p. 72.

MURIEL OLESEN
Vit à Genève, Suisse

EXPOSITIONS / EXHIBITIONS

1986   Musée d'art et d'histoire, Genève, Suisse
       Galerie Graff, Montréal, Canada
1985-86 Musée des Arts décoratifs, Lausanne, Suisse
       Centre de la photographie, Genève, Suisse
1985   Musée d'art et d'histoire, Genève, Suisse
1984   Espace Un, Genève, Suisse
       Galerie Lara Vincy, Paris, France
       Art 15'84, Bâle, Suisse
       Galerie Powerhouse, Montréal, Canada
       Kunstmuseum, Berne, Suisse
       Palais des Beaux-Arts, Bruxelles, Belgique
       Galerie Crita Insam, Vienne (vidéo/performance), Autriche
       Vidéoinstallation, Barcelone, Espagne
       Centre de la photographie, Genève, Suisse
       Kassel, Allemagne
1983   Palazzo dei Priori, Volterra, Italie
       Work Gallery, Zurich, Suisse
       Palazzo San Massimo, Salerno, Italie
       Dessins Suisse (Toulon, Coire, Aarau), Suisse
       Fundacio Joan Miró, Barcelone, Espagne
       Palais des Beaux-Arts, Charleroi, Belgique
       Kunstverein, Cologne, Allemagne
       Le Landeron, Suisse
       Art 14'83, Bâle, Suisse
       Art sin Tumas, Domat/Ems, Suisse
       Mercato San Severino, Italie
1982   Kunstmuseum, Düsseldorf, Allemagne

CATALOGUES

Image 4, exposition "Photographie sans caméra", Centre de la photographie, Genève, 1985.

Muriel Olesen, Gérald Minkoff, Arbeitstitel, textes de M. ARBASET et Mario CASTA (traduction de G. Minkoff), Éd. Kunstlerheft, Pro Helvetia, 1984, 16 p.

Vidéo 84, rencontre vidéo internationale de Montréal, collectif, Montréal, 1984, 89 p.

Vidéo installations, introduction par Gérald MINKOFF, Éd. Videomixmedia, IIIe Festival international d'art vidéo, Locarno, 1982.

PÉRIODIQUE / PERIODICAL

ANONYME, "Pangaea", *Artforum,* New York, February 1986, p. 4-5.

GIULIO PAOLINI
Vit à Turin, Italie

EXPOSITIONS / EXHIBITIONS

1986　Galerie Paul Maenz, Köln, Allemagne
　　　Wien-Fluss, Vienne, Autriche
1985　Galleria Pieroni, Rome, Italie
　　　Galerie Maeght Lelong, Paris, France
　　　The Solomon Guggenheim Museum, New York,
　　　　États-Unis
　　　Musée d'art contemporain, Montréal, Canada
1984　Los Angeles Institute of Contemporary Art,
　　　　États-Unis
　　　Le Nouveau Musée, Villeurbanne, France
　　　Studio Marconi, Milan, Italie
　　　Anne-Marie Verna, Zurich, Suisse
　　　Biennale de Venise, Italie
1983　Galleria Christian Stein, Turin, Italie
　　　Paul Maenz, Cologne, Allemagne
　　　Lucrezia De Domizio, Pescara, Italie
1982　Padiglione d'Arte Contemporanea di Milano,
　　　　Italie
　　　Kunsthalle Bielefeld, Von der Heydt-Museum,
　　　　Wuppertal, Allemagne
　　　Yvon Lambert, Paris, France
　　　Kassel, Allemagne
　　　Le Nouveau Musée, Villeurbanne, France
1981　Galleria Christian Stein, Turin, Italie
　　　Kunstmuseum, Lucerne, Suisse
　　　Paul Maenz, Cologne, Allemagne
1980　Stedelijk Museum, Amsterdam, Pays-Bas
　　　Museum of Modern Art, Oxford, Angleterre
　　　Galleria Ugo Ferranti, Rome, Italie
　　　Biennale de Venise, Italie

PRIX / AWARDS

1983　Artiste de l'année. Le Nouveau Musée, Villeur-
　　　banne

PERFORMANCE

1983　"Comédie italienne"

CATALOGUES

Paolini, Melanconia ermetica, texte de J.-L. MAUBANT
et Daniel SOUTIF, "Repères", Cahier d'art contemporain, n° 21, Paris, mai 1985, 32 p.

Giulio Paolini, texte de M. BANDINI, Galleria Nazio-
nale d'Arte Moderna, Roma, 1981.

PÉRIODIQUES / PERIODICALS

CELANT, Germano, "Giulio Paolini et la cité de l'art",
Art Press, Paris, n° 76, décembre 1983, p. 28-31.

PAOLINI, Giulio, "Triumph of representation a project
by Giulio Paolini", *Artforum*, New York, n° 22,
December 1983, p. 43-47.

POHLEN, A., "Documenta (Kassel, Germany: exhibit)",
Artforum, New York, vol. 21, October 1982, p. 84.

MENEGUZZO, M., "Giulio Paolini", *Flash Art*, Milano,
February, 1982.

ROLAND POULIN
Vit à Sainte-Angèle de Monnoir, Québec, Canada

EXPOSITIONS / EXHIBITIONS

1986　Parachute, Montréal, Canada
1984　Agnes Etherington Art Centre, Kingston, Ca-
　　　nada
1983　Yarlow-Salzman, Toronto, Canada
　　　Musée d'art contemporain, Montréal
1982　Galerie France Morin, Montréal, Canada
1981　49th Parallel, New York, États-Unis
1980　Galerie France Morin, Montréal, Canada
　　　Mercer Union, Toronto, Canada

CATALOGUES

Roland Poulin, sculptures et dessins 1984, texte de Robert SWAIN, Agnes Etherington Art Centre, Kingston,
1984, 16 p.

Roland Poulin, sculptures et dessins 1983, texte de Fernande ST-MARTIN, Musée d'art contemporain, Montréal, 1983, 56 p.

Drawing — A Canadian Survey 1977-1982, textes de
Peter KRAUSZ et Denis LESSARD Centre Saidye Bronfman, Montréal, 1982.

Repères, art actuel du Québec, textes de France GAS-
CON et Réal LUSSIER, Musée d'art contemporain,
Montréal, 1982.

Montréal, préface de Val GREENFIELD, introduction de
Diana NEMIROFF, Alberta College of Art Gallery, Calgary, 1982.

*Roland Poulin at the 49th Parallel, Centre for Contem-
porary Canadian Art*, 49th Parallel, New York, 1981,
20 p.

Pluralités 1980, texte de Robert MÉLANÇON, Galerie
nationale du Canada, Ottawa, 1980, 20 p.

Claude Mongrain / Roland Poulin, textes de Willard
HOLMES, Art Gallery of Greater Victoria, Victoria,
B.C., 1980.

PÉRIODIQUES / PERIODICALS

PAYANT, René, "La Part de l'ombre", *Spirale*, Montréal,
novembre 1983.

TAILLEFER, Hélène, "Roland Poulin", *Parachute*, Montréal, n° 33, décembre 1983.

BENTLEY MAYS, John, "Poulin No Follower of Artistic
Fashions", *The Globe and Mail*, Toronto, 24 novembre
1983.

LEPAGE, Jocelyne, "Roland Poulin — Le Descartes de la
sculpture", *La Presse*, Montréal, 17 septembre 1983.

SAINT-MARTIN, Fernande, "Un haut-relief de Roland
Poulin", *Art International*, 1982.

BÉRARD, Serge, "Roland Poulin", *Parachute*, Montréal,
n° 28, automne 1982, p. 34-35.

TOURANGEAU, Jean, "Dix ans de sculpture au Québec: 1970-1980", *Ateliers*, Montréal, décembre
1980-janvier 1981.

AL RAZUTIS
Vit à Burnaby, Colombie Britannique, Canada

FILMS
1983　Amerika (1973-1983)
1981　Excerpt from MS: the Beast
　　　For Artaud
　　　Atomic Gardening
　　　Motel Row (part 1)
　　　Motel Row (part 2)
　　　Motel Row (part 3)
　　　Terminal Cityscapes
1980　Software/Head Title
　　　The Wilwest show

PÉRIODIQUE / PERIODICAL
TESTA, Bart, "The Epic of Concatenation: On 'Amerika' and 'United States'", *C Magazine*, Toronto, n° 10, Summer 1986, p. 46-55.

ROBERT ROSINSKY
Vit à Cambridge, Massachusetts, États-Unis

EXPOSITIONS / EXHIBITIONS
1986　Connecticut College, New London, États-Unis
1984　M.I.T., Boston, États-Unis
　　　Institute of Contemporary Art, Boston, États-Unis
1983　Institute of Contemporary Art, Boston, États-Unis
1982　Tufts University, Museum School of Boston, M.I.T., Boston, États-Unis
　　　Minneapolis Children's Museum, États-Unis
1981　Gallery C., Minneapolis, États-Unis

PRIX / AWARDS
1984　M.I.T. Council for the Arts
1983　Gyorgy Kepes Fellowship Prize, M.I.T.
1982　Ethel Vanderlip Award, Minneapolis College of Art and Design
1981　Binger Award Merit Scholarship, Minneapolis College of Art and Design

TODD SILER
Vit à Cambridge, Massachusetts, États-Unis

KEITH SONNIER
Vit à New York, États-Unis

EXPOSITIONS / EXHIBITIONS

1986   Galerie Noctuelle/Michel Groleau Art Actuel, Montréal, Canada
1985   Biennale de São Paulo, Brésil
        Grey Art Gallery, New York University, États-Unis
1983   Gallery Takagi, Nagoya, Japon
        Ronald Feldman Fine Arts Gallery, New York, États-Unis
        Compton Gallery, M.I.T., Boston, États-Unis
1982   Galerie France Morin, Montréal, Canada
        Biennale de Paris, France
1981   Ronald Feldman Fine Arts Gallery, New York, États-Unis

PRIX / AWARDS

1986   Fulbright Fellowship to India
1984   Innovative Design Fund Award / National Endowment for the Arts
        Invention: "Process for Producing Design Patterns on Materials", patent pending (M.I.T.)
1983   Council for the Arts, M.I.T.

CATALOGUES

The Biomirror, text by Todd SILER, published by Todd Siler and Ronald Feldman Fine Arts Inc., New York, 1983, 53 p.

Think twice, in Revolution per Minute (The Art Record), released by Ronald Feldman Fine Arts Gallery, 1982.

Everything with drawings, in ALEA, n° 3, Paris: Édition Christian Bourgeois. Publié par ALEA, exposition au Musée d'art moderne de la ville de Paris, 1982, p. 80-85.

Cerebreactors, texts by Todd SILER, published by Todd Siler and Ronald Feldman Fine Arts, Inc., New York, 1980, 17 p.

PÉRIODIQUES / PERIODICALS

FEITLOWITZ, Marguerite, "Where Art and Medicine Meet", *MD* Publications, February 1985, p. 65-78.

McGREEVY, Linda, "Art and Orwell", *Port Folio*, vol. 1, n° 28, February 1984.

HANNY, Ellen, "Todd Siler / Ronald Feldman Fine Arts", *Arts Magazine*, New York, 1983.

FLEMING, Martha, "Todd Siler / Galerie France Morin", *Vanguard*, Vancouver, December/January 1982, p. 30.

LORENT, Claude, "ALEAS/ARC — Musée d'art moderne", *Les Cahiers de la Peinture*, n° 130, Première Quinzaine, mars 1982.

GRARY, Jonathan, "War Games: Of Arms and Men", *Art News*, New York, 1982.

VIAU, René, "Machins et machines", *Le Devoir*, Montréal, samedi 26 septembre 1981.

TOUPIN, Gilles, "Six expositions prospectives", *La Presse*, Montréal, samedi 24 octobre 1981.

EXPOSITIONS / EXHIBITIONS

1986   Galerie Montenay-Delsol, Paris, France
1985   Rosamund Felson Gallery, Los Angeles, États-Unis
        Susanna Hilberry Gallery, Michigan, États-Unis
        Leo Castelli Gallery, New York, États-Unis
1984   Galerie Schema, Florence, Italie
        Galerie Ricke, Cologne, Allemagne
        Hara Museum of Contemporary Art, Tokyo, Japon
        Galerie Sakura, Nagoya, Japon
        Galerie Amano, Osaka, Japon
1983   Institute for Art and Urban Resources (P.S.1), New York, États-Unis
        Annina Nasei Gallery, New York, États-Unis
1982   Leo Castelli Gallery, New York, États-Unis
1981   Galerie France Morin, Montréal, Canada
        Galerie Eric Fabre, Paris, France

PRIX / AWARD

1984   First Prize, Tokyo Prints Biennal, Japon

CATALOGUE

Keith Sonnier exhibition, edited by Hara Museum of Contemporary Art, Tokyo, 1984.

PÉRIODIQUES / PERIODICALS

JAVAULT, Patrick, "Keith Sonnier, du bambou au néon", *Art Press*, Paris, n° 102, avril 1985, p. 8-11.

KUSPIT, D.B., "Pictographs of an outsider", *Art in America*, New York, vol. 73, February 1985, p. 116.

KUSPIT, D.B., "P.S. 1, New York: exhibit", *Artforum*, New York, Vol. 22, September 1983, p. 71-72.

KERTESZ, Klaus, "Le lançage image" (traduit de l'anglais par A. Opinel), *Artiste*, Paris, n° 25, 1983, p. 106-190.

HOWE, K., "P.S. 1, New York: exhibit", *Flash Art*, New York, n° 113, Summer 1983, p. 64.

UPSHAW, R. "Castelli Gallery, New York: exhibit", *Art in America*, New York, vol. 70, December 1982, p. 127-128.

LIGBMANN, L., "Leo Castelli Gallery, New York: exhibit", *Artforum*, New York, n° 21, November 1982, p. 72-73.

GOLDCYMER, Gaya, "Keith Sonnier: galerie Eric Fabre", *Art Press*, Paris, n° 58, avril 1982, p. 46.

CASTLE, Ted, "Keith Sonnier's pictograms", *Artforum*, New York, vol. 19, January 1981, p. 34-35.

ABBOTT, L., "Galerie France Morin, Montreal exhibit", *Artscanada*, vol. 38, Toronto, March-April 1981, p. 54.

BARBARA STEINMAN
Vit à Montréal, Québec, Canada

EXPOSITIONS / EXHIBITIONS
1986   Presentation House, Vancouver, Canada
1985   Espace lyonnais d'art contemporain, Lyon, France
           Hara Museum of Contemporary Art, Tokyo, Japon
1984   Musée d'art contemporain, Montréal
1983   Vancouver Art Gallery, Vancouver, Canada
1980   Musée d'art contemporain, Montréal

VIDEOS
1986   Presumed Conduct
1985   Künst mit Eigen-Sinn
1984   British Canadian Video Exchange
1983   OKANADA
1982   Festival international d'art vidéo

CATALOGUES
Luminous Sites: 10 Video Installations, text by Daina AUGAITIS and Karen HENRY, Presentation House Gallery, Vancouver, 1986.

Montréal art contemporain, texte de Jean-Louis MAUBANT et al., Espace lyonnais d'art contemporain, Lyon, 1985-1986.

Vidéo 84, René BLOUIN, Musée d'art contemporain, Montréal, 1984.

Art and Artists, Vancouver Art Gallery, Vancouver, 1983.

PÉRIODIQUES / PERIODICALS
BAERT, Renée, "Luminous Sites: 10 Video Installations", *Canadian Art*, Toronto, Summer 1986, p. 89-91.

TOWN, Elke, "Luminous Sites", *Vanguard*, Vancouver, June 1986, p. 12-16.

DIAMOND, Sara, "ON OFF TV", *C Magazine*, Toronto, Summer 1986, p. 72-73.

BLOUIN, René, "Vidéo 84", *Vie des arts*, Montréal, mars 1985, p. 24-27.

FLEMING, Martha, "Barbara Steinman, Powerhouse Gallery", *Vanguard*, Vancouver, March 1985, p. 28-29.

GAGNON, Jean, "Vidéo 84 Installations", *Vanguard*, Vancouver, mars 1985, p. 36-37.

GOLDBERG, Michael, "Video Art", *Video Com*, San Francisco, n° 21, 1985, p. 43-44.

GOLDBERG, Michael, "Video Criticism: Interview with Barbara Steinman", *Video Com*, San Francisco, n° 23, 1985, p. 152-153.

HENRY, Karen, "Video 84", *Videoguide*, n° 31, 1985.

ROSS, Christine, "La visiteuse prise au jeu", *La vie en rose*, Montréal, n° 22, 1985, p. 58.

KRIKORIAN, Tamara, "Performance & Video", *Art Monthly*, London, April 1984, p. 21.

DUCHAINE, Andrée, "Chambres à louer, installation vidéo", *Parachute*, Montréal, n° 22, 1981, p. 42-43.

DAVID TOMAS
Vit à Montréal, Québec, Canada

EXPOSITIONS / EXHIBITIONS
1986   Musée des Beaux-Arts du Canada, Ottawa, Canada
           Luminous Sites, Vancouver, Canada
1981   5 Wiener Internationale Biennal Erweïterte Fotographie, Vienna, Autriche
1980   Project Studio One, New York, États-Unis
           McIntosh Gallery, University of Western Ontario, London, Canada

CATALOGUES
Songs of Experience, edited by Diana Nemiroff and Jesica Bradley, National Gallery of Canada, Ottawa, 1986.

Luminous Sites, edited by Daina Augaitis and Karen Henry.

Aurora Borealis, texte de Normand THÉRIAULT et René BLOUIN, Centre international d'art contemporain de Montréal, 1985, 176 p.

Cover / Doppelganger, text by Paul GROOT, Stitching Aorta, Amsterdam, 1985.

Détours, voire ailleurs, texte de David TOMAS, "Vers une pratique photographique", Musée d'art contemporain, Montréal, 1983.

Extended Photography, vol. II, Peter WEIBEL et al., 5th International Biennal, Vienna, 1981.

PÉRIODIQUES / PERIODICALS
BLOUIN, René, "Through the Eye of the Cyclops", *Canadian Art*, Toronto, Summer 1985.

CAMBROSIO, Alberto, "Pour une pratique négative de la photographie: entretien avec David Tomas", *Parachute*, Montréal, n° 37, hiver 1984, p. 4-8.

FURLONG, William, "Notes towards a photographic practice", *Audio Arts Magazine*, London, England, vol. 6, n° 4, 1984.

LANDRY, Pierre, "Détours voire ailleurs", *Parachute*, Montréal, n° 32, 1983.

RANS, Goldie, "David Tomas", *Vanguard*, Vancouver, Summer 1983, p. 36.

TOMAS, David, "The Ritual of Photography", *Semiotica*, vol. 40, n°s 1-2, 1982, p. 1-25.

FLEMING, Martha, "Tim Clark and David Tomas", *Vanguard*, Vancouver, May 1981, p. 34-35.

NEMIROFF, Diana, "Tim Clark and David Tomas", *Parachute*, Montréal, n° 23, Summer 1981, p. 37-38.

SERGE TOUSIGNANT
Vit à Montréal, Québec, Canada

JAMES TURRELL
Vit à Flagstaff, Arizona, États-Unis

EXPOSITIONS / EXHIBITIONS

1986   Galerie des Arts Visuels, Université Laval, Québec, Canada
1984   Galerie Yajima, Montréal, Canada
1983   The Photography Gallery, Photographers' Workshop, Harbourfront, Toronto, Canada
1981   Off Centre, Calgary, Canada
1980   Musée d'art de Saint-Laurent, Saint-Laurent, Canada
        Galerie Sable/Castelli, Toronto, Canada

CATALOGUES

Les 20 ans du Musée à travers sa collection, textes d'André MÉNARD, Paulette GAGNON et Pierre LANDRY, Musée d'art contemporain, Montréal, 1985.

Fragments: La photographie actuelle au Québec, textes de Denis LESSARD, Vu-Centre d'animation et de diffusion de la photographie, Québec, 1985.

Situational Photography: 10 artists, texts by Walter COTTON, Arthur OLLMAN, and Denis KOMAC, University Art Gallery, San Diego State University, San Diego, California, 1984.

Photographie actuelle au Québec, textes de Peter KRAUSZ, Jean TOURANGEAU et Katherine TWEEDIE, le Centre Saidye Bronfman, Montréal, 1983.

Photographic Sequence, text by Jann L.M. BAILEY, The Art Gallery of Peterborough, Peterborough, Ontario, 1983.

Drawing – A Canadian Survey, texts by Peter KRAUSZ and Denis LESSARD, Centre Saidye Bronfman, Montréal, 1983.

New Image, text by Guy PLAMONDON, Contemporary Quebec Photography, 49th Parallel, New York, 1983.

Repères: Art Actuel au Québec, textes de France GASCON et Réal LUSSIER, Musée d'art contemporain, Montréal, 1982.

Eléments: Points de vue de la nature, Office National du Film du Canada, section de la photographie, Ottawa, 1981.

Montréal, The Alberta College of Art Gallery, Calgary, Alberta, 1981.

5 Attitudes / 1963-80, texte de Gilles HÉNAULT, Musée d'art contemporain, Montréal, 1981.

The Mask of Objectivity / Subjective Images, McIntosh Gallery, The University of Western Ontario, London, Ontario, 1981.

PÉRIODIQUES / PERIODICALS

SIMON, Cheryl, "Serge Tousignant, recent work: Yajima Gallery, Montreal", *Vanguard*, Vancouver, December 1984/January 1985, p. 33.

DAIGNEAULT, Gilles, "Les géométries lumineuses de Serge Tousignant", *Le Devoir*, Montréal, 8 septembre 1984, p. C-17.

EXPOSITIONS / EXHIBITIONS

1986   Hirshhorn Museum and Sculpture Garden, Washington, États-Unis
        Stadel Museum, Francfort, Allemagne
1985   Marian Goodman Gallery, New York, États-Unis
        Roger Ramsay Gallery, Chicago, États-Unis
        San Francisco Museum of Modern Art, San Francisco, États-Unis
        Los Angeles Museum of Contemporary Art, États-Unis
1984   Musée d'art moderne de la ville de Paris, France
        Marian Locks Gallery, Philadelphie, États-Unis
        Capp Street Project, San Francisco, États-Unis
1983   Massachusetts Institute of Technology, Cambridge, États-Unis
        Israel Museum, Jerusalem, Israël
1982   Center of Contemporary Art, Seattle, États-Unis
1981   Whitney Museum of American Art, New York, États-Unis
        Leo Castelli Gallery, New York, États-Unis
1980   Whitney Museum of American Art, New York, États-Unis

PRIX / AWARDS

1984   MacArthur Foundation Fellowship
1981   Lumen Award, New York selection, Illuminating Engineering Society with the International Association of Lighting Designers
1980   Arizona Commission for the Arts and Humanities Visual Arts Fellowship

CATALOGUES

Art & Architecture & Landscape: The Clos Pegase Design, text by Martin FILLER and Helen FRIED, San Francisco Museum of Modern Art, San Francisco, 1985.

Occluded Front: James Turrell, text by Julia BROWN, Los Angeles Museum of Contemporary Art, Los Angeles, 1985.

Two Spaces, introduction by Suzanne LANDAU, Israel Museum, Jerusalem, 1983.

James Turrell, text by Claude GINTZ, interview by Suzanne Pagé, ARC, Musée d'art moderne de la ville de Paris, 1983.

Avaar, A Light Installation, text by Carol ADNEY, Herron School of Art, Indiana University-Purdue University, Indianapolis, 1980.

James Turrell: Light and Space: an Exhibition, introduction by Melinda WORTZ, commentaries by James TURRELL, Whitney Museum of American Art, New York, 1980, 47 p.

MICHEL VERJUX
Vit à Paris, France

EXPOSITIONS / EXHIBITIONS

1986   Galerie Claire Burrus, Paris, France
Maison de la Culture et de la Communication de Saint-Étienne, France
Biennale de Venise, Italie
Kunst Rai, Amsterdam, Pays-bas
1985   Biennale de sculpture, Belfort, France
ARC, Musée d'art moderne de la ville de Paris, France
1984   Le Nouveau Musée, Villeurbanne, Fance
Le Coin du Miroir, Dijon, France
1983   Espace d'Art contemporain, Maison de la Culture, Chalon-sur-Saône, France
Galerie J. et J. Donguy, Paris, France
Kassel, Allemagne

CATALOGUES

Michel Verjux, texte de Claude GINTZ, Éd. Maison de la Culture et de la Communication de Saint-Étienne, 1986.

Michel Verjux au lieu de l'éclairage, texte de Christian BESSON, ARC, Musée d'art moderne de la ville de Paris, France, 1985.

Michel Verjux en éclaireur, texte de Christian BESSON, Le Consortium, Dijon, 1984.

Michel Verjux, texte de Bertrand LAVIER, Le Nouveau Musée, Villeurbanne, 1984.

PÉRIODIQUES / PERIODICALS

PENCENAT, Corinne, "Michel Verjux, Galerie Claire Burrus", *Art Press*, Paris, no 102, avril 1986, p. 68-69.

COULANGE, Alain, "Michel Verjux, Marie Bourcet, Bertrand Lavier, objets de l'art et objet d'art", *Art Press*, Paris, no 90, 1985, p. 34-36.

PERRODIN, François, "Michel Verjux", *Plus 1*, Paris, no 1, 1985, p. 43.

TOUPPE, Laurence, "Le corps de l'art", *Pour la Danse*, Paris, no 118, 1985, p. 49.

KRZYSZTOF WODICZKO
Vit à New York, États-Unis

EXPOSITIONS / EXHIBITIONS

1986   Musée des Beaux-Arts du Canada, Ottawa, Canada
Biennale de Venise, Italie
John Weber Gallery, New York, États-Unis
49th Parallel, New York, États-Unis
1985   The Ydessa Gallery, Toronto, Canada
Canada House, Londres, Angleterre
Robert McLaughlin Gallery, Oshawa, Canada
1984   Hal Bromm Gallery, New York, États-Unis
1983   The Ydessa Gallery, Toronto, Canada
1982   South Australian School of Art, Adelaide, Australie
1981   Eye Level Gallery, Halifax, Canada
Franklin Furnace, New York, États-Unis

PROJECTIONS PUBLIQUES / PUBLIC PROJECTIONS

1985   Grand Army Plaza, Brooklyn, États-Unis
Swiss Parliament, Berne, Suisse
Royal Bank of Canada, Montréal, Canada
South Africa House, Londres, Angleterre
1984   AT&T Building, New York, États-Unis
Tower Gallery, New York, États-Unis
1983   Bow Falls, Banff, Canada
Memorial Hall, Dayton, États-Unis
Main Train Station, Stuttgart, Allemagne
South African War Memorial, Toronto, Canada
1982   War Memorial, Adelaide, Australia
American Express Building, Sydney (in conjunction with the Sydney Biennial), Australie

CATALOGUES

Alles und Noch viel mehr, Das poetische TBC, Kunstmuseum und Kunsthalle, Bern, 1985.

Art After Modernism / Rethinking Representation, text by Brian WALLIS, the New Museum, New York, 1985.

Présences Polonaises, Centre Georges Pompidou, Paris, 1983.

Kunstler aus Kanada, textes by Bruce W. FERGUSON, Tilman OSTERWOLD et al., Wurttembergischer Kunstverein, Stuttgart, 1983.

Poetics of Authority, texts by Alisa MAXWELL and Krzysztof WODICZKO, South Australian School of Art, Adelaide, 1982.

PÉRIODIQUES / PERIODICALS

HORNE, Stephen, "Krzysztof Wodiczko: Grande Parade Memorial Projection", *Vanguard*, Vancouver, no 14, November 1985, p. 30.

ROGERS, Steve, "Territories 2: Superimposing the City", *Performance*, Londres, no 36, August/September 1985, p. 37-38.

ISAACS, Joanna, *Afterimage*, New York, April 1985.

HOWELL, John, "Krzysztof Wodiczko", *Artforum*, New York, no 23, March 1985, p. 99-100.

LES PROMENADES-LUMIÈRES

MONTRÉAL: LA MAGIE DE LA LUMIÈRE
THE MAGIC OF LIGHT IN MONTRÉAL

Robert White Architect, lighting designer, and founder of the Environmental Lighting Research Group

Les surfaces sont la source de nos signaux sensoriels — des signaux qui indiquent "je me trouve ici" — et elles définissent ainsi la limite sensible des choses. Les surfaces, même si elles ont une apparence trompeuse, sont possédées par le corps qu'elles circonscrivent; elles le présentent au monde. Voici un mur, disent-elles; voici un mur de fenêtres, voici une grille, un chemin. Les surfaces sont l'origine de ce qui est montré, exprimé et de ce qui apparaît. Elles servent à dissimuler en même temps qu'elles dévoilent. Les surfaces, en un seul geste englobant, constituent, couvrent et révèlent tout à la fois.

La ville possède une surface de sons et d'odeurs, bien sûr, mais pour nous la surface est principalement une composante tactile et visuelle des choses — leur visage. Nous pouvons même parfois voir l'odeur des surfaces, lorsque celle-ci s'élève sous la forme de fumée ou de vapeur. Le caractère d'une surface urbaine dépend en grande partie de la nature de l'éclairage de ville — la fumée charbonneuse de Pékin (Beijing), la brume dense de St-Louis, la bruine de Pise, le "smog" de Los Angeles, la poussière du Caire — ou selon que la ville a une atmosphère humide ou sèche, qu'elle est enneigée, brumeuse, entourée de montagnes, située sur une plaine ou qu'elle flotte sur la mer[1].

Surfaces are where our sensory signals originate — signals which say "here I am" — so surfaces define the sensible limits of things. Surfaces, however deceptive, are possessed by the body they bound; they present it to the world. Here is a wall, they say; here is a wall of windows, here is a gate, a walk. Surfaces are the sole source of show, or expression, of appearance. At the same time that they manage to conceal, they disclose. Surfaces, with a single spreading gesture, at once constitute, cover, and reveal.

The city has a surface of sound and smell, of course, but for us surface is largely a visual and tactile element of things — their face. Sometimes we can even see the smell of surfaces, as their odours rise in smoke and steam. The character of any urban surface will depend very greatly upon the nature of the city's light — Beijing's coal smoke, St. Louis's heavy moist haze, Pisa's mist, L.A.'s smog, Cairo's dust — and whether the city is damp or dry, snowed-in, fogbound, ringed by mountains, a part of the plains, or adrift on the sea.[1]

LES PROMENADES-LUMIÈRES se veulent une exploration des surfaces de Montréal. Leur but est de comprendre la nature de la ville en regardant sans timidité son visage. Elles ont pour complices le soleil et le ciel et révèlent les secrets de la ruelle et du mur de pierres grises. Elles exigent une discipline visuelle et nous donnent la magie.

Il y a une compréhension visuelle ordinaire des objets que nous accumulons quotidiennement dans nos mémoires et qui nous en donne une représentation schématique et continue. C'est une compréhension qui est utilitaire et

LES PROMENADES-LUMIÈRES is an exploration of Montreal's surfaces. It seeks to understand this city's nature by an unabashed stare at her face. It uses the sun and sky as accomplices to expose the secrets of the ruelle and the greystone wall. It demands visual discipline and can accomplish magic.

There is an ordinary visual understanding of objects that we accumulate in our memories day by day which gives us a (rough) constant representation of them. This understanding is as utilitarian as it is numbing. We can make our way in the world without standing in awe of the light on objects, but this results in a dulling of our visual sensitivity (to the vibrancy of

[1] William Gass, "The Face of the City", New York, *Harpers*, March 1986, p. 38.

Un moment magique au centre-ville de Montréal

qui engourdit en même temps les sens. Nous pouvons aisément faire notre chemin en ce monde sans nous émerveiller de l'illumination des objets, mais il en résulte une sensibilité visuelle émoussée face à ces scènes vibrantes. Cependant, une convergence des conditions d'éclairage est parfois si extraordinaire que nous percevons une scène de façon renouvelée, comme si elle possédait un potentiel visuel qui était secrètement gardé pour des occasions spéciales. La difficulté de définir l'"extraordinaire" est de savoir à quel point la vision singulière que nous avons à un moment coïncide avec les attentes de la vision de tous les jours. Si la coïncidence est forte, elle offre peu de matière à réflexion, mais s'il y a une grande différence due à des contrastes prononcés, à une couleur particulière de la lumière ou à un "cadrage" unique, cela nous in-

the scene). However, sometimes a conjunction of lighting conditions is so extraordinary that we see a scene transformed anew as if it had a visual potency that was kept secret for special occasions. The problem is of defining the "extraordinary": knowing how closely the singular view we are having at the moment matches the memory-expectation of the ordinary view. If these are matched, we have nothing more to consider, but a larger difference due to high contrasts, special colour in the light, or a unique sort of "framing" will indicate the "extraordinary" to us. Thus, the referent everyday scene is as essential to the "extraordinary" as the indicator that distinguishes it. An increased sensibility may also make more of the world seem extraordinary. The visual prospector seeking the larger nuggets is also aware of the smaller grains of gold.

diquera l'"extraordinaire". La scène quotidienne de référence est donc aussi essentielle à l'"extraordinaire" que ce qui s'en démarque. Une sensibilité accrue peut transformer une plus large part du monde en événements extraordinaires. Le prospecteur visuel qui cherche les pépites est aussi attentif à la poussière d'or.

LES PROMENADES-LUMIÈRES visent à faire de chacun un prospecteur visuel. Elles forment un inventaire des conditions d'éclairage extraordinaires qui peuvent être perçues à différents moments dans certains endroits choisis. Nous avons réunis plusieurs exemples qui se trouvent à Montréal et qui offrent à l'observateur l'occasion de vivre les expériences suivantes:

1. En été, l'observateur qui se tient sur les marches du Musée Redpath peut voir le soleil couchant refléter avec éclat sur les façades d'aluminium de la Place Ville-Marie. Et quand cette lumière est reflétée sur les édifices avoisinants, la lueur orangée danse, amplifiée pour l'observateur qui déambule vers le centre-ville.

2. La statue de Nelson au sommet de la colonne Nelson, située sur la Place Jacques-Cartier, apparaît comme éclairée par un projecteur lorsque le soleil couchant est près de l'équinoxe, alors que les alentours sont plongés dans l'ombre. L'approche se fait par la rue Notre-Dame.

3. La vue de la ville au lever du soleil, par un jour très nuageux, au milieu de l'hiver, obscurcit le sol et le ciel et donne l'impression que les édifices flottent dans l'air lorsqu'ils sont vus de l'Île Sainte-Hélène.

4. L'hôpital Hôtel-Dieu, sur la rue Sainte-Famille, est éclairé directement par le soleil du matin et, à l'extrémité opposée de la rue, le pavillon des Arts 4 de l'UQAM est éclairé de la même façon l'après-midi. La transition s'effectue en quelques minutes au milieu de la journée.

5. À midi, le soleil est aligné selon l'axe de la rue Sainte-Catherine, et lors du solstice, le so-

LES PROMENADES-LUMIÈRES seeks to make anyone a visual prospector. It consists of exploring an inventory of extraordinary lighting conditions that can be seen at various times in special locations. We have assembled many examples existing in Montreal that give the viewer opportunities to experience the following:

1. Seated on the steps of McGill's Redpath Museum, in summer, one can see the intense reflection of the setting sun glancing off the bright aluminum walls of Place Ville-Marie. When deflecting off other nearby buildings, the orange reflections dance, seeming to increase in intensity as the viewer slowly walks downtown.

2. Approaching it from rue Notre-Dame, the statue of Nelson at the top of its column in Place Jacques-Cartier is lit as if by a spotlight by the setting equinox sun, while the rest of the area lies in shadow.

3. In a view of the city at sunrise on a cloudy mid-winter day seen from Île Sainte-Hélène, the ground and sky are obscured and the buildings seem to float.

4. On rue Sainte-Famille, the Hôpital Hôtel-Dieu is lit in the morning, and at the opposite end of the street the UQAM Pavillon Arts 4 building is lit in the afternoon by direct sunlight. The buildings exchange roles at noon.

5. The midday sun aligns with St. Catherine Street, and on the solstice the setting sun aligns with the "north-south" streets in the Plateau Mont-Royal.

6. Viewed from the bluff on Upper Lachine Road or from a top floor of an office building, the storefronts on rue Notre-Dame are alternately switched off and on by late-afternoon sunlight, the shadow of the mountain, and especially by passing clouds.

7. At dusk, in a matter of minutes, any building coated in highly reflective glass changes from reflective to transparent.

leil couchant est aligné avec les rues du plateau Mont-Royal, orientées du nord au sud.

6. Les façades de la rue Notre-Dame s'illuminent et s'éteignent alternativement vers la fin de l'après-midi par la lumière du soleil et l'ombre de la montagne, particulièrement lorsque des nuages défilent dans le ciel. Le point de vue est soit situé sur l'escarpement du chemin du canal Lachine, ou au dernier étage d'un édifice à bureaux au crépuscule.

7. Au crépuscule, en l'espace de quelques minutes, les façades de verre de certains édifices cessent de réfléchir la lumière pour devenir transparentes.

De tels événements peuvent être photographiés ou transposés sous une forme poétique, à l'instar de Monet qui a peint les effets de lumière naturelle sur les façades de la Cathédrale d'Amiens. Le but de ces promenades est cependant de présenter le phénomène tel qu'il est vu, sans aucune transformation. Le choix de l'événement implique à la fois le rôle de conservateur et celui d'artiste où l'observateur attentif est à la fois guide, explorateur du visuel et archéologue. Le mode de sélection cadre l'événement au niveau temporel et spatial. Il peut s'inspirer d'autres lieux et suggérer une analogie entre un lieu de Montréal et Stonehenge ou la place San Marco, ou proposer une expérience particulière à ce lieu et à ce moment.

C'est une conception de l'art qui rejoint les objets trouvés de Duchamp et d'autres artistes. Ces objets redéfinissaient la notion de l'"art", mais ils étaient souvent manipulés ou transformés. Dans le cas des Promenades, les colonnes, les façades des édifices et la surface des rues de la ville sont laissées telles quelles. Le cadre physique est constitué par le point de vue de l'observateur, déterminant l'orientation et les limites de ce qu'il ou elle choisit de regarder. Le cadre "temporel" est sans doute l'aspect définitoire de l'expérience, puisque plusieurs de ces événements sont fugitifs.

Les affinités avec d'autres événements sem-

Such experiences could be photographed or treated with another poetic form, as with Monet's paintings of natural light on the cathedral facade at Amiens. However, the intent of these promenades is to present the phenomena as they are seen, intact, without manipulation. The selection of an event is a combination of the curatorial and artistic roles in which one sensitive observer participates as a travel guide, visual explorer, and archaeologist. The selection process frames the event in time and place. It may draw on models from other places to suggest that a location in Montreal is analogous to Stongehenge or the Piazza San Marco, or it may be that the experience is unique to its place and time.

This is a notion of art that is related to the found objects of Duchamp and others. These objects were important statements concerning the definition of "art." However, the objects themselves were often then manipulated or reshaped. For LES PROMENADES, the city's columns, building facades, and street surfaces will remain as they are found. The physical frame is fixed by the observer's point of view — determining the direction and limits to what he or she chooses to view. The frame of "time" may be the defining aspect since, for many events, the effect is evanescent.

The affinities to other, similar events are interesting. A gallery attempts to keep the object always on view or available. A "performance" is a time piece, although it can be scheduled and the schedule changed. A rite such as midnight Christmas mass is less changeable and often must be conducted at a fixed time according to the laws of the calendar and seasons. It is the outcome of a series of events referring to something other than the events themselves — religion, patriotism. Thus, what we propose with LES PROMENADES-LUMIÈRES is more in the order of a rite, which will make references to "time," the observer's "stance," "nature," and ancient culture, melting down the "frozen music" that is architecture.

blables sont intéressantes. Une galerie présente un objet de façon à ce qu'il soit toujours disponible au regard. Une "performance" est une oeuvre qui se déroule en temps réel, bien qu'elle puisse être présentée à un moment précis et que sa programmation puisse changer. Un rite comme la messe de minuit est moins susceptible de changement, et il doit souvent être accompli selon le calendrier ou les saisons. C'est une série d'événements accomplis en référence à quelque chose en dehors d'eux, la religion ou le patriotisme par exemple. Le "rite" est donc assez près des PROMENADES-LUMIÈRES que nous proposons et qui établissent des liens avec le "temps", le "point de vue" de l'observateur, la "nature" et les cultures anciennes, pour animer cette "musique figée" qu'est l'architecture.

ARCHÉOLOGIE

La compréhension qu'a l'être urbain de la lumière naturelle, des cycles quotidiens et saisonniers, des mouvements lunaires et astronomiques a été émoussée par certains aspects de la vie moderne: l'étranglement de l'espace par les édifices qui limitent la vue du ciel; le remplacement de ces cycles par la technologie moderne des horloges, les calendriers, et les dispositifs de communication et d'informatisation; et par l'arrivée de philosophies et de religions plus abstraites, centrées sur l'individu. Dans les cultures anciennes, la compréhension des mouvements du soleil était essentielle pour indiquer le jour et la saison. On observait que, durant l'année, le lever et le coucher du soleil étaient symétriquement partagés par rapport au milieu de la journée, et que le lever du soleil était soit vers le nord à partir de l'est en été (où les jours sont plus longs) ou vers le sud en hiver. Il y avait une limite à l'écart vers le nord ou vers le sud qui est maintenant appelé solstice (d'hiver ou d'été), et il y avait un jour situé à mi-chemin qui est appelé équinoxe, démarcations que nous pouvons déjà retrouver dans le plan des ruines mayas de Tikal, au Guatemala. En conjonction

ARCHAEOLOGY

Urban man's understanding of natural light, daily and seasonal cycles, and lunar and astronomical movements has been dulled by a number of circumstances of modern life: the spatial constrictions of the buildings which limit views of the sky; the displacement occasioned by the modern technology of clocks, calendars, and communication and computing devices; and the substitution of more abstract philosophies and religions, focused on the individual. In ancient cultures, an understanding of solar movements was essential in determining the date and season. It was observed that during the year sunrise and sunset were equidistant from noon, and that sunrise was either in a northerly direction from the east, in summer (period of longest days), or in a southerly direction, in winter. There was a limit to the northern or southern movement, now called the solstice (winter or summer), and there was a day halfway between these which is called the equinox, evident in the layout of the Mayan ruins at Tikal, Guatemala. In conjunction with specific night constellation location, the solar position (at sunrise, for example) gives us a fairly precise calendar for the year.

Thus, early societies made a necessary connection between the positions of the sun and the stars and time to determine planting, harvesting, and other rituals. If a religion is devised to support and explain the essential relationships of humans to the environment, it is not surprising that those ancient religions were inextricably bound by the prediction of the calendar and the movements of the sun. The sun and moon gods were essential to the cosmology-religion of the Egyptians, the Maya, the Hopi, and other peoples. The British astrophysicist Sir Fred C. Hoyle has described these relationships in great detail and has found that Stonehenge was used to observe the solar and lunar cycles, as well as to predict eclipses.

At Tikal, Guatemala (250 A.D. to 850 A.D.), the delight and awe we feel in contem-

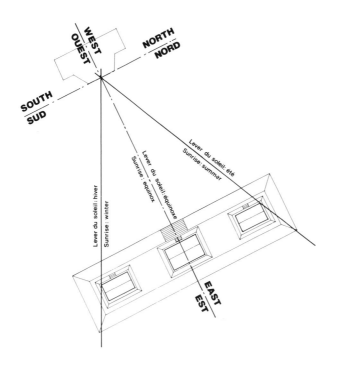

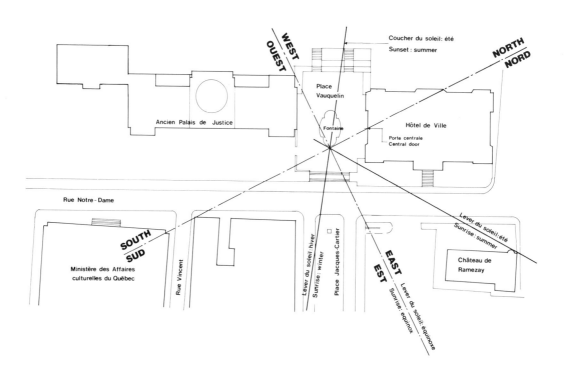

Observatoires de la Place Vauquelin, dans le Vieux-Montréal et de Tikal, au Guatemala

avec la location précise des constellations du ciel nocturne, la position du soleil (par exemple au lever du soleil) nous donne un calendrier assez fidèle de l'année.

Les sociétés anciennes établissaient ainsi un lien nécessaire entre les positions du soleil, les étoiles et le temps pour déterminer les semences, la récolte et d'autres rituels. Si une religion est conçue pour servir de support et d'explication aux relations essentielles que l'être humain entretient avec le monde, il n'est pas surprenant que ces anciennes religions aient été liées aux prédictions relatives au calendrier et aux mouvements du soleil. Les dieux du Soleil et de la Lune étaient essentiels à la cosmologie-religion des Égyptiens, des Mayas, des Hopi et d'autres peuples. L'astrophysicien britannique Sir Fred C. Hoyle a décrit avec force détails ces relations en rapport avec Stonehenge, et il a découvert que l'on pouvait s'en servir pour observer les cycles solaire et lunaire aussi bien que pour prédire les éclipses.

À Tikal, au Guatemala (250-850), le plaisir et la stupéfaction que nous ressentons lorsque nous contemplons les trois monuments sont dus, en partie, à leur lien direct avec la cosmologie de la civilisation maya. L'observateur peut déterminer les solstices par l'alignement du soleil sur le rebord extérieur du monument et les équinoxes lorsque le soleil est aligné sur la pyramide centrale. Quels monuments contemporains peuvent se comparer à Tikal, à la vallée du soleil et de la lune à Teotihuacán, ou aux figures tracées sur les plaines péruviennes? Un aspect des PROMENADES-LUMIÈRES est la reconstitution de ces anciennes relations dans certains lieux de Montréal. Par exemple, la relation triangulaire des levers du soleil aux monuments de Tikal, revisée pour la latitude de Montréal, peut être trouvée pour un observateur situé précisément en avant du bassin d'eau de la Place Vauquelin dans le Vieux-Montréal, faisant face à la Place Jacques-Cartier. Le 21 juin, un observateur y verra le lever du soleil juste au coin du

plating the three monuments is due, in part, to their direct connection to the cosmology of the Maya. The observer can determine the solstices when the sunrise is aligned to the extreme outside edge of the monument, and the equinoxes when it is aligned with the middle pyramid. What contemporary monuments can compare with Tikal, the valley of the sun and the moon in Teotihuacan, or the incised figures on the Peruvian plains? One aspect of *LES PROMENADES-LUMIÈRES is to re-create these ancient relationships in specific places in Montreal. For example, the triangular relationship of the monuments in Tikal, revised for Montreal's latitude, can be found for an observer positioned just in front of the water basin in Place Vauquelin in Vieux-Montréal facing Place Jacques-Cartier. An observer standing there on June 21 will see the sunrise just at the corner of the Château Ramezay, and on the equinox up Place Jacques-Cartier.*

This event requires knowledge, discipline, and preparation. The observer must understand the requirements of the event, endeavour to get to the site in time, and be able to understand its meaning. There is a prologue, the event itself, and its aftermath. There is a sort of found archaeology of modern urban relics which connect the city-dweller to daily and seasonal cycles for which Tikal is a paradigm. Observing the sun's movements in relation to fixed objects will allow one to tell the time of day, the direction of the compass, and the season of the year. This knowledge allows one to feel connected to his or her place on the planet and to know how the appearance of objects in light will be changed.

Château Ramezay et, à l'équinoxe, au-dessus de la Place Jacques-Cartier. La perception de cet événement requiert connaissance, discipline et préparation. L'observateur devra comprendre les exigences de l'événement, entreprendre de se rendre au bon moment à l'endroit déterminé et être en mesure d'en saisir la signification. Il y a donc un prologue, l'événement lui-même et ses suites. Il y a un type plus commun d'"archéologie trouvée" dans la ville moderne qui peut établir un lien entre l'être urbain et les cycles journaliers et saisonniers dont Tikal est un paradigme. En observant les mouvements du soleil en relation avec des objets statiques, on pourra dire l'heure de la journée, l'orientation et la saison de l'année. Ce savoir permet à quelqu'un de sentir son appartenance à un endroit de la planète, et de prédire comment l'apparence des objets sera changée par la lumière.

LA FLÈCHE DU TEMPS, L'OMBRE ET L'OMBRE PORTÉE

Le mouvement du soleil est régulier, cyclique, et il va d'est en ouest. L'effet du soleil sur les surfaces est régulier et orienté. Les surfaces orientées à l'est sont éclairées au début du jour, puis deviennent ombrées; celles qui sont orientées à l'ouest sont d'abord dans l'ombre, puis sont éclairées par le soleil; celles qui sont orientées au nord sont, à l'été, éclairées, puis ombrées, pour être éclairées de nouveau à la fin du jour. À cause de la position des édifices dans la ville et de l'ombre que certains projettent, quelques surfaces présentent une succession complexe d'ombre et de lumière qui passent sur elles durant la journée. L'emplacement d'une édifice est donc relié au temps (de la journée ou de l'année) et au mouvement, animant l'édifice.

Pour toute surface d'un objet, il y a une région qui est à l'ombre. Sous un ciel bleu, dégagé, les ombres prennent une coloration bleuâtre et varient en intensité selon la proportion de ciel visible à partir de l'ombre. Les ombres révèlent les qualités du mur éclairé par

TIME'S ARROW, SHADOW AND SHADE

The movement of the sun is regular and cyclical, and goes from east to west. Thus, the effect of the sun on surfaces is regular and directional. Surfaces facing the east begin as sunlit and proceed into shadow; those facing the west begin in shadow and become sunlit; and those facing north in summer begin sunlit, move into shadow and at sundown are again in sunlight. Because of the contingencies of location in a city overshadowed by buildings, some surfaces have more complex patterns of shadow and sunlight moving across them during the day. The location and the building can be connected to time (of day or of year) and motion, thus becoming alive. For every surface of an object there is a projected area that is in shadow. Under a large, diffuse blue sky, the shadows are bluish in colour and vary in darkness depending on how much sky is visible from the shadow. The shadows reveal a sunlit wall — its texture, projections, and size as well as the sun's intensity. And the shadows are wonderful in themselves. For example, Tanizaki comments on the traditional Japanese house:

> In making for ourselves a place to live, we first spread a parasol to throw a shadow on the earth, and in the pale light of the shadow we put together a house. . . .
>
> And so it has come to be that the beauty of a Japanese room depends on a variation of shadows, heavy shadows against light shadows — it has nothing else. . . . We delight in the mere sight of the delicate flow of fading rays clinging to the surface of a dusky wall, there to live out what little life remains to them. We never tire of the sight, for to us this pale glow and these dim shadows far surpass any ornament.
>
> Whenever I see the alcove of a tastefully built Japanese room, I marvel at our comprehension of the secrets of shadows, our sensitive use of shadow and light. For the beauty of the alcove is not the work of some clever device. An empty space is marked off with plain

la lumière, sa texture, ses parties saillantes, ses dimensions, et elles nous indiquent l'intensité lumineuse. Les ombres sont aussi merveilleuses en elles-mêmes. Voici par exemple le commentaire de Tanizaki sur la maison traditionnelle japonaise:

Afin d'avoir un endroit pour vivre, nous ouvrons d'abord un parasol pour jeter de l'ombre sur le sol, et dans sa pâle lumière, nous construisons une maison. [. . .]

Et c'est ainsi que la beauté d'une pièce japonaise en est venue à dépendre de la variété des ombres, les ombres prononcées, contrastant avec les ombres pâles, elle ne contient rien d'autre. [. . .] Nous prenons un plaisir simple à voir le flot délicat des rayons faiblissants épouser la surface d'un mur sombre, où ils épuisent ce qui leur reste de vie. Nous prenons un plaisir toujours renouvelé à cette scène, pour nous cette pâle lueur et ces ombres douces sont de loin supérieures à tout ornement.

Chaque fois que je vois l'alcôve d'une chambre japonaise bâtie avec goût, je m'émerveille de notre compréhension des secrets que les ombres gardent, de notre emploi délicat de l'ombre et de la lumière. Car la beauté de l'alcôve ne dépend pas de quelque invention astucieuse. Un espace vide est délimité avec du bois et des murs sans décoration, de façon à ce que la lumière qui y est attirée forme de douces ombres à l'intérieur du vide. Il n'y a rien de plus. [. . .] Où se trouve la clé de ce mystère (des profondeurs de l'alcôve)? C'est ultimement la magie des ombres[2].

Où est la magie des ombres à Montréal? Nous ne devons pas nous attendre à ce que la rue Sherbrooke ressemble à un salon de thé japonais, mais il y a des endroits où les ombres sont dominantes et font une douce composition de gris et de couleurs assourdies. Celles-ci se retrouvent souvent dans les espaces vides laissés par les édifices, les ruelles, les lieux en retrait, les jardins et sous les ponts.

2 Jun'ichiro Tanizaki, *In Praise of Shadows*, New Haven, Leete's Island Books, 1977, pp. 17-18.

wood and plain walls, so that the light drawn into it forms dim shadows within emptiness. There is nothing more. . . . Where lies the key to this mystery (into the depths of an alcove)? Ultimately it is the magic of shadows.[2]

Where is the magic of the shadows in Montreal? We should not expect Sherbrooke Street to look like a Japanese tearoom, but there are places where shadows dominate and make a soft composition of muted colours and greys. Often these are found in the interstices between buildings — alleys, bowers, gardens — and underneath bridges. Would we linger in an old service yard? Perhaps, if we saw in it the variety of textures, colours, and shades contained on even a small patch of wall. The back wall-surface of a building is a palimpsest of the changes that have worked it during its life and, perhaps because it is not its public face, its history and life are better preserved.

COLOUR AND NUANCE

Montreal is grey in colour, as indeed are most North American cities made of stone or natural materials. Bright colours do not work well on public buildings, except as decorative elements. Buildings made of earthen materials — clay brick, stone, concrete — seem most sympathetic to our eyes. These neutral colours, if light in value, are wonderful reflectors of the light sources, taking on a cool blue cast from the blue sky, a whiter, more pastel appearance from direct sunlight, and a yellow-orange glow from the setting sun. Buildings at night, due to low light levels, lose their hue, leaving brightly lit signs and displays as the sole field of colour. These occur largely at random and are confined to a zone of vision that extends to the second or third floor, depending on the spatial restrictions of the street. The cacophony of images is exciting just because it is abstract and different from their daytime appearance, explicitly hawking the attraction within. But one sometimes

Lumière et ombres vues en perspective

Irions-nous jusqu'à nous attarder dans une
vieille cour de triage? Peut-être, si nous y
voyions une variété de textures, de couleurs et
d'ombres contenues sur une même petite portion de mur. Le mur arrière d'un édifice offre
sur sa surface un palimpseste des changements qui sont survenus tout au long de son
existence; peut-être parce qu'il ne s'agit pas
là de la face publique de l'édifice, son histoire
et sa vie y sont mieux préservées.

COULEUR ET NUANCE

Montréal est de couleur grise comme le
sont la plupart des villes nord-américaines
lorsqu'elles sont construites de pierres et de
matériaux naturels. Les couleurs vives sont mal
adaptées aux édifices publics, sauf lorsqu'elles servent de touches décoratives. Les édifices construits avec des matériaux de la terre,
briques d'argile, pierre, ciment, offrent un aspect sympathique à nos yeux. Ces couleurs
neutres, même si elles sont pâles, sont de magnifiques réflecteurs de sources lumineuses,
captant la froideur du bleu du ciel, le blanc

pastel du soleil et la lueur jaune-orangée du couchant. La nuit, la faible intensité lumineuse fait perdre leurs couleurs aux édifices qui la laissent aux enseignes et aux vitrines brillamment éclairées. Celles-ci sont dispersées au hasard, mais elles sont confinées à l'intérieur d'un champ visuel qui ne dépasse pas le deuxième ou le troisième étage, selon la largeur de la rue. La cacophonie des images est excitante simplement parce qu'elle est abstraite et qu'elle diffère de l'apparence qu'offre la rue pendant le jour, projetant violemment leur contenu. Mais on a parfois besoin de se reposer de cette excitation visuelle en regardant des effets plus subtils. La nuance résulte des variations de l'intensité lumineuse sur les surfaces, mais elle est inversement proportionnelle: plus petite est la variation, plus grande est la nuance. Pour percevoir ces effets, il nous faut d'abord regarder la scène en entier et puis chercher les infimes différences. Par exemple, l'effet de l'ombre et de l'ombre portée sur une surface courbe de pierre modulée par la lente progression de la lumière du soleil. William Gass le décrit ainsi:

> . . . ces chevauchements de la lumière composent des collages d'une sensuelle inconséquence . . . où ces surfaces douces se rencontrent. C'est souvent comme si une nouvelle scène était érigée pour ces vieux adversaires, la lumière et l'obscurité, pour que nous puissions voir des objets devenir des ombres sans perdre leur substance, des objets qui projettent leurs similitudes en de nouvelles compositions, qui se dédoublent sans l'aide d'un miroir, qui se réorganisent lorsque la lumière est soudainement voilée. Puis il y a aussi tous ces jeux de transparences, vibrants comme un violon, qui projettent des scènes intérieures sur les murs externes, alignent le trottoir sur le ciel et rassemblent des éléments métaphysiquement discordants, aux compositions néanmoins mélodieuses, incluant l'ombre de l'auteur omniprésent[3].

3 William Gass, *op. cit.*, p. 42.

needs a rest from visual stimuli, by having recourse to more subtle visual effects.

Nuance is the result of differences in light on surfaces, but in inversely related proportion, so that the less the difference, the greater the nuance. To see these effects one must first take in the entire scene and then look for the slight differences. One example might be the effect of shade and shadow on a curved surface of stone as modulated by slowly moving directional sunlight. William Gass describes it:

> *. . . these overlays of light compose collages of sensuous inconsequence . . . where such soft surfaces kiss. It is often as though a new stage were being set for those old antagonists, light and darkness, so we might witness objects becoming shadows without losing their substance, objects sending their similitudes into new compositions, objects doubling themselves without a mirror, objects rearranging themselves in the light of sudden palls. Then there are all those translucencies as well, vibrant as a violin, which throw inner scenes on outer walls, line the sidewalk with sky, and assemble metaphysically inharmonious elements — compositions nevertheless melodious — which include the shade of the ubiquitous author himself.[3]*

EXTRAORDINARY EVENTS, FRAMING AND CONCENTRATION

One of the questions that LES PROMENADES-LUMIÈRES asks is when or under what conditions an event becomes extraordinary, that is, what distinguishes it from the ordinary world? The visual scene requires an object, sources of light and the observer — a spatial triad. The three-dimensional spatial / radiative relationship has a powerful effect on perception so that moving the source, the observer, or the object can greatly affect the object's appearance. Thus, the conditions for the "extraordinary" will occur in the relationship of the characteristics of each part of this triad.

ÉVÉNEMENTS EXTRAORDINAIRES, CADRAGE ET CONCENTRATION

L'une des questions que soulèvent les PROMENADES-LUMIÈRES est la définition du moment et des conditions qui font qu'un événement devient extraordinaire, c'est-à-dire de ce qui le distingue du monde ordinaire. La scène nécessite un objet, des sources de lumière et un observateur, la triade spatiale. La relation entre l'espace tridimensionnel et le rayonnement a un effet puissant sur la perception, et si on déplace la source, l'observateur ou l'objet, on peut grandement modifier l'apparence de ce dernier. Les conditions de l'"extraordinaire" interviendront donc au niveau de la relation ou des caractéristiques de chaque élément. Celles-ci peuvent comprendre l'intensité ou la coloration du soleil, les hauts contrastes dus à l'ombre, aux ombres portées ou aux réflexions, ou une cohérence visuelle particulière. Afin de trouver des événements extraordinaires, il nous faudra chercher ces qualités dans une scène, et savoir quand ces qualités apparaîtront, que ce soit à cause de la nature de la/les source(s) lumineuse(s), des caractéristiques de l'objet, ou de la position de l'observateur.

Les événements qui constituent les PROMENADES-LUMIÈRES sont définis par ce qu'ils incluent et ce qu'ils excluent, et cela implique le tracé de limites. L'observateur cadre la scène de façon arbitraire, c'est-à-dire qu'il limite le champ de vision mais qu'il le fait sans l'aide d'un appareil photo, d'un cadre ou d'un écran vidéo. Il y a des problèmes soulevés par les limites du cadre, que la scène soit statique ou dynamique, et par le rythme selon lequel se déroule le mouvement. Nous devons savoir comment l'événement est fixé dans le temps, c'est-à-dire comment notre concentration change la perception que nous en avons. Le flot quotidien des images existe sans bornes particulières. C'est seulement en se concentrant sur l'image, à l'exclusion d'autres qui pourraient entrer en compétition ou qui lui sont reliées, que nous sommes à même de la

These might include the high intensity or colour of the sun, high contrasts due to shade, shadows, or reflections, or a special visual coherence. To find extraordinary events we should look for those qualities in a scene and know when those qualities will happen, due either to the nature of the light source(s), the characteristics of the object, or the position of the observer.

The events of LES PROMENADES-LUMIÈRES are defined by what is included in them and what is not, which involves making boundaries. The observer arbitrarily frames the view, that is, limits the field of vision, but does so without the technology of the camera, picture frame, or video screen. There are the attendant problems of the limits of the size of the frame, whether the view is static or dynamic, and of the pace of the movement. We need to know how the event is fixed in time, and how our concentration on it changes our sense of it. The flow of images in everyday life is one without significant markers. Only by concentrating on the image and excluding other competing or related images can one "see" it and understand its significance. The framing of the image is both an interaction between the qualities of the image itself — what attracts us to it — and our ability to make it separate, that is, to exclude the rest of the world and to form the context into a simple background reference.

The following conditions can make a part of the city become extraordinary:

Magic hour — sunset or sunrise

The sun has low-angle yellow-orange light. Street-level areas are in deep shadow, facades are bright, and reflections of the sun in the windows are seen. The slow transition into darkness brings out a deep blue sky, transforms glass from opaque mirror to transparent opening, making the sky and building surfaces equally bright, and causing the lucidity of day to slide into the ambiguity of night.

"voir" et d'en comprendre la signification. Le cadrage de l'image dépend donc à la fois d'une interaction entre les qualités de l'image elle-même, ce qui nous attire en elle, et notre capacité à la voir comme autonome, c'est-à-dire à la séparer du reste du monde ou à faire de son contexte une simple toile de fond.

Les conditions suivantes peuvent faire d'une portion de la ville un événement extraordinaire:

L'heure magique, le coucher ou le lever du soleil

Le soleil, en angle prononcé, émet une lumière jaune-orangée. La surface de la rue est plongée dans l'ombre et les façades sont brillamment illuminées avec les fenêtres reflétant le soleil. Le lent passage à l'obscurité amène un ciel d'un bleu profond, transforme les vitres de miroirs opaques en ouvertures transparentes, et égalise la brillance du ciel et la surface des édifices, faisant glisser la lucidité du jour dans l'ambiguïté de la nuit.

Nuages orageux

Les nuages sombres qui défilent créent de forts contrastes avec des éléments très brillants comme les dômes des édifices, les toits métalliques ou les façades d'aluminium. Il y a souvent un arc-en-ciel dans la direction opposée à celle du soleil lorsque celui-ci est à un angle inférieur à quarante-quatre degrés.

Lumière du soleil qui rase les façades

Les façades qui offrent un intérêt au niveau de la texture ou des saillies vivent un moment magique lors de la transition de l'ombre à la lumière qui dure de vingt à trente minutes. Pour les façades orientées à l'ouest ou au sud, les premières lueurs projettent de longues ombres à partir des avant-toits qui conservent dans l'ombre une grande partie de la façade. En quelques minutes, les ombres se rétrécissent et les surfaces sont frappées par une lumière qui rase les façades et qui les fait briller comme des miroirs lorsqu'on les regarde de la rue. Les détails de la surface projettent de longues ombres qui révèlent la texture des matériaux et les défauts de construction, animant l'édi-

Passing storm clouds

Dark, moving clouds create a high contrast with bright building elements such as domes, metal roofs, or aluminum facades. Often there is a rainbow in the direction opposite the sun when the angular height of the sun is lower than 44 degrees.

Glancing sunlight on facades

Facades with textural interest or projections have a magical life during that transition of twenty to thirty minutes from darkness to sunlight. For western or southern facades, the first glint of sunlight casts long shadows from the eaves, keeping much of their facades in shade. In a few minutes, shadows are shortened and the surfaces are struck with a glancing light, making them shimmer like mirrors when viewed from the street. The minute surface projections cast long micro-shadows which reveal the texture of the materials and small errors in construction, making the building at once alive and vulnerable. Slowly, as if safeguarding its secrets, the movement of the sun reduces the shadows, so that the facade becomes formal and closed. After thirty minutes, the changes to the facade are slow and familiar. For eastern facades the process is reversed, as they accelerate to a peak when the last sunrays disappear behind the building. The view is better facing the sun, since the shadows are more apparent and accentuate the contrast.

Older buildings

After looking closely at various types of buildings, one will note that older buildings with projecting cornices, window frames and ornaments, stone facing or other textures offer one "more for the eye." Smooth glass walls appear much the same from any angle whether they are sunlit or not. Nevertheless, mirrored buildings can be interesting when seen from a distance. When they are small in comparison to the skyline, the abstract reflections and patterns they produce are unusual and beautiful. The mirrored building must become part of the urban skyline for this

177

fice et révélant sa vulnérabilité. Lentement, comme pour garder les secrets, le mouvement du soleil réduit les ombres de façon à ce que la façade reprenne son aspect formel et fermé. Après trente minutes, les changements sur la façade sont lents et familiers. Pour les façades orientées à l'est, le processus est inversé et le moment le plus intense survient immédiatement avant que les derniers rayons du soleil disparaissent derrière l'édifice. La scène est plus intéressante lorsque contemplée en direction du soleil puisqu'alors les ombres sont plus apparentes et les contrastes, plus accentués.

Vieux édifices

Après avoir observer attentivement plusieurs types d'édifices, l'observateur va remarquer que les édifices plus anciens, avec leurs corniches protubérantes, les cadres des fenêtres, les ornements et leurs façades en pierre ou en textures variées en donnent "plus pour les yeux". Les murs aux lisses revêtements de verre demeurent presque identiques quels que soient l'éclairage et l'angle selon lequel on se place. Néanmoins, ces édifices peuvent être intéressants lorsque vus de loin. Lorsque l'édifice recouvert de miroirs est petit par rapport aux autres édifices, les réflections et motifs abstraits prennent une qualité inhabituelle et magnifique. Pour que cela arrive, l'édifice doit faire un tout avec les autres édifices.

Édifices qui bouchent une rue étroite

L'édifice qui bouche l'extrémité d'une rue est un point de mire lorsque les autres façades sont raccourcies par l'ombre, comme sur la rue Sainte-Famille qui se termine par l'hôpital Hôtel-Dieu et le pavillon Arts 4 de l'UQAM.

Les dômes, les pyramides et les flèches

Les éléments d'architecture peuvent être aperçus de plusieurs points de la ville, et sont une surface de référence constante pour comparer les effets changeants de la lumière dans la ville. On peut noter le dôme de l'Hôtel de ville, le Marché Bonsecours, les flèches des églises, et l'édifice de la Banque Royale sur la rue Saint-Jacques.

occurrence, and cannot be an isolated object in itself.

Narrow street enclosures

The terminal building is an object of strong focus, since other facades are foreshortened in shadow, as on rue Sainte-Famille with terminal points of the Hôpital Hôtel-Dieu and the UQAM Pavillon Arts 4 building.

Ombre et ombre portée sur les détails d'un édifice

Domes, pyramids, and spires

From many points in the city, these are constant points of reference when comparing changing lighting effects in the city. Note the domes on City Hall and the Marché Bonsecours, church spires, and the Royal Bank building's roof on rue Saint-Jacques.

Lumière rasant une façade en pierres grises

LA LUMIÈRE DE MONTRÉAL

Les effets de la géographie et du climat sur la lumière d'une ville lui donnent son caractère particulier. Pour Montréal, la latitude de 44,5 degrés signifie que l'élévation maximale du soleil est de 68 degrés le 21 juin et de 21 degrés le 21 décembre. L'amplitude horizontale du coucher et du lever du soleil d'est en ouest est de 33 degrés, ce qui est loin des 40 degrés pour Londres et des 50 degrés pour Leningrad. Il n'y a que de cinq à dix jours d'ensoleillement par mois en octobre, novembre et décembre. Ainsi, l'atmosphère brumeuse, nuageuse est très importante même si les effets d'éclairage sont très subtils. La neige, les édifices, le ciel gris et les fenêtres sombres, composent une scène hivernale qui est une étude en grisaille. Les taches de couleur vive prennent alors un caractère particulièrement attirant.

MONTREAL'S LIGHT

The effects of geography and climate on light in a city merit special attention. In Montreal, the 44½-degree latitude means that the maximum height of the sun is 68 degrees on June 21 and 21 degrees on December 21. The horizontal shift of sunset and sunrise between east and west is 33 degrees, not quite that of London (40 degrees) or Leningrad (50 degrees). There are only five to ten days a month of sunny skies in October, November, and December. Thus, the hazy, cloudy, diffuse atmosphere is very important even if lighting effects are very subtle. White snow, combined with grey buildings, grey skies, and dark windows, make a study in grey. Then, brighter spots of colour can have a particular attraction.

In late spring and summer, the angle of streets to the compass points give "east"

179

À la fin du printemps et pendant l'été, l'orientation des rues procure aux façades "est" une plus longue période d'ensoleillement le matin, mais aucune lumière en fin d'après-midi. Comme la plupart des maisons donnent sur une rue orientée du nord au sud, les montréalais doivent choisir si c'est leur salon et balcon avant ou leur cuisine et cour arrière qui seront à l'ombre. Le Mont Royal projette de longues ombres sur la ville en fin d'après-midi, ce qui crée de hauts contrastes avec les sommets brillamment illuminés des grands édifices. La nuit, les structures les plus importantes de la ville sont clairement visibles, cela comprend entre autres le négatif sombre du fleuve, le collier de lumières sur les ponts, le vide du parc de la montagne, les lumières de la croix, la Place Ville-Marie, et l'Oratoire Saint-Joseph.

facades much longer periods of sunlight in the morning, but no sunlight in the late afternoon. Since most of their houses face a "north/south" street, Montrealers have either their living room / front porch or their kitchen / backyard in the shade. Mount Royal casts long shadows on the city in the late afternoon, which creates high contrast with the brightly lit upper stories of tall buildings. At night, the major urban structures are clearly evident, including the dark, negative river areas, the chains of lights on the bridges, the void of the mountain parklands, the lights of the cross, Place Ville-Marie, and St. Joseph's Oratory, among others.

L'EXPOSITION – DOCUMENTATION

Pour l'exposition et la documentation qui l'accompagne, plusieurs média ont été utilisés afin d'illustrer quelques-unes des idées mentionnées, bien que par définition rien ne puisse se substituer à l'expérience directe de la ville. Plusieurs moniteurs vidéo montrent des images photographiques, des photographies prises à intervalle et des séquences vidéo pour faire voir, condensés dans le temps, les variations de la lumière, le mouvement progressif des ombres sur une façade ou les effets de l'ombre et des ombres portées dans certains endroits de Montréal. Le matériel visuel est accompagné d'une pièce sonore composée par Marc Hyland et qui fait écho à la variété et à la vitalité de Montréal. Une fenêtre dans l'espace d'exposition donne sur les murs d'un édifice qui changent constamment d'aspect sous l'éclairage extérieur. Adjacentes à la fenêtre, une série de photographies, prises à la même heure jour après jour, montrent les changements d'aspect des murs dus aux différentes conditions atmosphériques. Une grande carte placée sur un mur montre l'emplacement des événements extraordinaires ainsi que l'itinéraire des promenades d'une heure dans différents quartiers de la ville.

Le visage de la ville offre une richesse illimitée sur le plan visuel pour quiconque développe une discipline d'engagement. Il nous faut de la patience et être sensible à la luminosité des objets. L'abandon du flâneur aux lois de la lumière le récompensera par des couleurs magnifiques, des textures somptueuses et des compositions étonnantes d'ombre et d'ombre portée à l'intérieur de la magique cité de Montréal.

Traduit par SERGE BÉRARD

THE EXHIBITION – DOCUMENTATION

For the exhibition and its accompanying documentation, a variety of media have been used to illustrate some of the concepts mentioned above, although, by definition, no surrogate can replace actual visual experience of a city. Multiple video monitors display photographic images, time-lapse photography, and video sequences show variations of light condensed in time, the progressive movement of shadows on a facade, or the effects of shade and shadow in selected areas of Montreal. These visual images are accompanied by a sound piece (sympathetic to the variety and vitality of Montreal) composed by Marc Hyland. A window in a gallery space frames a view of building walls, constantly changing in appearance due to exterior lighting. Adjacent to the window, a series of photographs, taken every day at the same time, shows the wall's changing appearance under different sky conditions. A large map on a wall indicates the location of extraordinary lighting events and itineraries of the one-hour promenades in selected districts throughout Montreal.

The face of the city has unlimited visual possibilities to offer anyone who develops a discipline of engagement with a scene. We must have a measure of patience and sensitivity to the potential of light on objects. A surrender by the flâneur to the laws of light will bring a reward of wonderful colours, sensuous textures, and startling compositions of shade and shadow available in the magical city of Montreal.

LES ATELIERS-LUMIÈRES

LES ATELIERS-LUMIÈRES

Les ateliers offerts par le service d'éduca-tion / animation s'adressaient principalement aux jeunes de tous les niveaux scolaires, et ils ont été élaborés de manière à les sensibiliser autant au phénomène de la lumière qu'à la notion d'installation. Comme point de départ: le concept du jeu qui, à notre avis, doit être à la base de toutes formes d'apprentissage.

Nous avons donc concentré notre réflexion sur l'élaboration d'un cheminement cohérent, composé de jeux et conçus, non seulement en fonction du thème des CENT JOURS, soit les lumières, mais aussi en rapport les uns avec les autres. Par ailleurs, il nous a paru essentiel d'éviter de plonger le participant dans un maelström d'activités sans suite, sous le seul prétexte de jouer avec la lumière.

Chacun des jeux visait l'apprentissage d'un type ou d'une qualité de lumière (lumière blan-che, lumière noire, lumière clignotante-vivante), par l'exploration de différentes sour-ces lumineuses, de diverses textures, couleurs, matériaux.

Nous avons également voulu faire redé-couvrir la notion originelle de la lumière et son sens primitif, en confrontant le participant avec l'obscurité et l'inconnu.

The workshops offered by the Education/ Activities Services are designed principally for students of all ages, and have been devel-oped to sensitize the public as much to the phenomenon of light as to the notion of instal-lation. The concept of play will be our point of departure; we believe this must be the basis for all learning processes.

Therefore, we have centred our attention on the development of a coherent process based on a series of games, conceived not only in terms of the theme of THE 100 DAYS, light, but also in order that they complement each other. It seems essential to avoid im-mersing the participants in a maelstrom of endless activities with the sole purpose of playing with light.

Each game is directed to learning about a type or quality of light (white light, black light, flashing light) by exploring different light sources, textures, colours, and materials in or-der to set light (shadows) in motion.

We also intend to rediscover the original notion of light in its primitive sense by con-fronting the participant with darkness and the unknown.

NAN HOOVER
Performance, 1986
Düsseldorf Art Academy

Autant que faire se peut, nous avons tenté de "jouer aux mêmes jeux" avec tous, mais nous avons permis à chacun, de quelqu'âge qu'il soit, de réagir à sa manière, d'installer ses propres "règles de jeu".

Le participant, tout en jouant, était donc amené à expérimenter avec la nature même de la lumière, à découvrir ses possibilités et ses limites, pour finalement réaliser une installation.

Enfin, et surtout, nous avons visé ultimement à nourrir l'imaginaire afin de permettre au participant de mieux percevoir les zones secrètes où prend forme toute oeuvre créatrice.

LUMIÈRES DE LA VILLE

Dans une salle adjacente à l'événement principal, LUMIÈRES: PERCEPTION-PROJECTION, le public était convié à participer à une exposition de photographies intitulée *Lumières de la ville* où tous, amateurs et professionnels, avaient l'occasion de comparer leur vision personnelle de la magie des effets de la lumière avec celles des autres exposants.

We have tried as much as possible to "play the same game" with everyone, but we encourage each person, whatever his or her age, to react in his or her own manner, and to impose his or her own "rules of the game".

While playing, the participant comes to experiment with the very nature of light, to discover its possibilities and limits, and, finally, to produce an installation.

Lastly, and most importantly, our concern is to nourish the imagination by allowing the participant to better perceive those secret zones where all creative work occurs.

CITY LIGHTS,

In a room adjoining the main event, LIGHT: PERCEPTION-PROJECTION, the public has been invited to participate in an exhibition of photography entitled CITY LIGHTS, where everyone, amateurs and professionals, has the opportunity to compare his or her personal vision of the magical effects of light with those of the other participants.

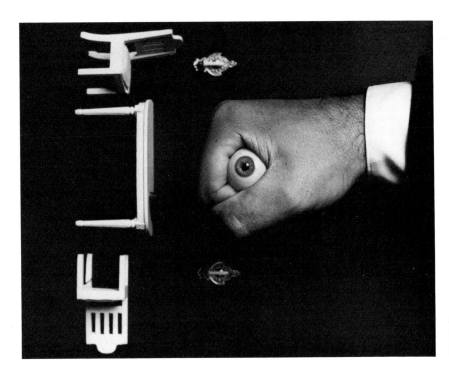

CLAUDE LAMARCHE
Performance PHOTON PHASE 3,
Montréal 1986
Photo: Guy L'Heureux, Claude Lamarche

Gouvernement du Québec
**Ministère des
Affaires culturelles**

 Gouvernement du Québec
**Ministère des Relations
internationales**

 Employment and
Immigration Canada

Emploi et
Immigration Canada

 Government of Canada
Department of Communications

Gouvernement du Canada
Ministère des Communications

 External Affairs
Canada

Affaires extérieures
Canada

 **The Canada Council
Conseil des Arts du Canada**

 Ville de Montréal

Commission d'initiative et de développement
économiques de Montréal
CIDEM—Tourisme

Les Promenades

**PLACE
DU PARC**

 WANG

 BANQUE NATIONALE DU CANADA

 WESTBURNE

 Vidéotron ltée

 MARTINEAU WALKER
AVOCATS
AGENTS DE BREVETS ET MARQUES DE COMMERCE

TELEMEDIA

 Hôtel du Parc

 L'ÉLECTRIFFICACITÉ Q

 STEINBERG
Inc.

Achevé d'imprimer à 3000 exemplaires
sur les presses de Plow & Watters,
à Montréal, mercredi le 30 juillet 1986

12/7/8